必携
ドイツ文法総まとめ
― 改 訂 版 ―

中島悠爾・平尾浩三・朝倉巧 著

白 水 社

Yuji Nakajima / Kozo Hirao / Takumi Asakura:
Handbuch der deutschen Grammatik
— Zweite, neu bearbeitete Auflage —

Verlag HAKUSUISHA Tokyo, 2003
Printed in Japan

改訂版へのまえがき

　本書の初版が刊行されてから，すでに 15 年以上の歳月が経過している．このあいだに，わが国のドイツ語学習の環境も大きく変化しているが，何よりもドイツ語そのものが，かなりの変容を見せていることを見逃す訳には行かない．

　改訂の直接の契機は「新正書法」の施行ではあったが，この機会に，変わり行くドイツ語の今日の姿を，少しでも本書の記述に反映させたいと願い，技術的に許される範囲内での改訂を試みた．改訂された箇所のうち，二・三の例を挙げれば，以前は《分離・非分離動詞》の前綴りとされていた voll- が，新正書法の施行以来，完全に《非分離動詞》の前綴りとなっていること，接続詞 weil が，日常語では《並列の接続詞》としても用いられる例が増加していること，あるいは「開店中・閉店中」を表すのに，《haben + geöffnet/geschlossen》という形が［完了形としてではなく］頻繁に用いられることなどなどである．

　全体のコンセプトは旧版のそれを踏襲しており，改訂は旧版の同一ページ内に収めるよう工夫したが，どうしても既存のページ内に収まりきらない部分は，わずかながら「補遺」として巻末に追加してある．「補遺」に記述された事項は，本文内でも ⇨ のマークを付け，検索を容易にしているので，十分にご利用いただけるものと思う．

　2003 年 4 月

著　　者

初版へのまえがき

　これからドイツ語を学ぼうとする人はもちろん，日ごろドイツ語に親しんでいる人が座右に備えて，ドイツ語の文法に疑問が生じたとき，気軽に検索できる，しかも視覚的に把握しやすいコンパクトな『ドイツ文法ハンドブック』を提供しようというのが，本書のねらいである．

　そのため，特に次のような点に配慮した．
1)　初級の文法項目を網羅したことは言うまでもないが，さらに広くいわゆる《教養のドイツ語》に必要と思われる事柄も積極的に取り入れた．
2)　初学者のためを考えて，必要不可欠で基本的な文法項目や変化表は，太字

まえがき

体で印刷したほか，特に色をかぶせて強調し，また，中級ないしそれ以上の段階に属すると思われるものは，その個所の文字を色で印刷して色調を落とし，二次的に学習すればよいことを示した．

3) 全体の構成は品詞別とし，動詞なら動詞，名詞なら名詞に関する諸問題は，変化から用法にいたるまで，すべてそれぞれの章で解決するよう図った．もちろん，問題が他の品詞にまたがる場合もあるが，それらにはいちいち参照ページを指示したし，さらに巻末の索引によって，関連事項は容易に検索できるようになっている．

4) 文法用語や項目の立て方に関しては，ほぼ従来のものを踏襲したが，さらに最新の動向を顧慮し，かつより効果的な学習の便を図って，若干の工夫をこらした．例えば従来，動詞との結びつきにおいてのみ扱われてきた sich を，さらに多面的に代名詞としてとらえたこと，これまで非人称動詞の項などに分散して扱われていた es を，一つの項目にまとめたことなどである．

5) 本書で用いた単語は，教養として当然学ぶべき基本的なものの範囲を越えないよう充分の配慮をし，また句例や文例も「現代の日常的なドイツ語」という視点に立って選択作成した．

以上のような意図で編まれた本書は，初級者からかなり高度の文法知識を必要とする人までが抱くほとんどすべての疑問に即座に応えられる内容のものになったと，確信している．この「ハンドブック」が，これからのドイツ語学習を実り豊かなものとすることに役に立てばと，願うものである．

なお本書は，分担執筆によるものではなく，協同討議の場で作成されたものである．数十回におよぶすべての討議に立ち合われ，貴重な助言を寄せられたほか，あらゆる援助を惜しまれなかった白水社の佐藤文彦氏の御尽力に心からの感謝の意を表したい．

また，文例のすべてに校閲の労をとられたボーフム大学ドイツ文学科の Prof. Dr. Siegfried Grosse 氏，ならびに上智大学に留学中の Philipp Gysin 氏にも，この場を借りて厚く御礼申しあげる次第である．

1985 年春

著　者

凡　例

記号・略号について

( )　　　補足的な説明など，広く使われている．

[ ]　　　発音表示： Tal [taːl タール]

[ ]　　　省略可能： nach Haus[e] → nach Hause と nach Haus の両形があることを示す．

〈 〉　　　直前の語句との交換可能： Er ist Arzt 〈Student〉. 彼は医師〈大学生〉だ． →「Er ist Arzt. 彼は医師だ． Er ist Student. 彼は大学生だ．」の意．

<　　　　由来： am (<an dem)

/　　　1)　名詞の単数2格と複数1格の表示： der Onkel -s/-
　　　　2)　「ならびに，および」の意で： du/ihr → du および ihr.

|　　　　1)　分離動詞の前綴りと基礎動詞の分離線： ab|fahren.
　　　　2)　合成語における合成部分： Zahn|arzt.
　　　　3)　派生語における接合部分： Bär|chen.
　　　　4)　その他用例の区分．

♦　　　　直前の記述に関係する「注意・補足」など．

♦*　　　直前の表などに記された * 部分についての「注意・補足」など．

*et.*³　　etwas の3格　（「物」の3格）
*et.*⁴　　etwas の4格　（「物」の4格）
jm.　　jemandem　（「人」の3格）
jn.　　jemanden　（「人」の4格）
m.　　Maskulinum　（男性）
f.　　Femininum　（女性）
n.　　Neutrum　（中性）
pl.　　Plural　（複数）

なお，このほか，「　」，《　》，→ などの記号も使われている．

凡　例

文法用語解説

主　　　語	文の表わす動作や状態の主体を示す文成分．
述　　　語	文の表わす動作や状態を示す動詞成分．
述語内容語	「私 (A) は学生 (B) である」「ばら (A) は赤い (B)」のような《A＝B 構文》で，B にあたる文成分．
目　的　語	動詞の表わす行為を受ける対象や，形容詞の表わす状態を補足する成分．4 格目的語・3 格目的語・2 格目的語・前置詞つき目的語の四つがある．
状　況　語	文の表わす動作や状態に関して，「時・所・方法・理由・様態」などを示す文成分．
付　加　語	名詞・代名詞を修飾する成分．
定　動　詞	主語の人称と数によって変化した動詞．一つの文がいくつかの動詞[成分]から成り立っていても，定動詞は常に一つしかない．
主　　　文	ほかの文に従属せず，単独で完結した文(独立文)．定動詞第 2 位・定動詞第 1 位(145 頁)．
副　　　文	従属接続詞・関係代名詞などによって導かれ，主文に組入れられる文(従属文)．定動詞後置(145 頁)．
決定疑問文	疑問詞を用いない疑問文 (答えには，肯定または否定が要求される)： Wohnen Sie in Kyoto? — Nein [, ich wohne in Tokyo]. あなたは京都にお住まいですか？ — いいえ [, 私は東京に住んでいます]．
補足疑問文	疑問詞のある疑問文(答えには，疑問詞の求める情報を提供しなければならない)： **Wo** wohnen Sie? — Ich wohne **in Tokyo.**　あなたはどこにお住まいですか？ — 私は東京に住んでいます．

目　　次

まえがき・・・・・・・・・・・ 3
凡　例・・・・・・・・・ 5

Das Alphabet ・・・・・・・ 9

綴りと発音

母音の綴りと発音・・・・・・ 10
子音の綴りと発音・・・・・・ 12

動　　詞

現在人称変化・・・・・・・・ 15
動詞の三基本形・・・・・・・ 19
過去人称変化・・・・・・・・ 22
複合時称の形態・・・・・・・ 24
時称の用法・・・・・・・・・ 26
分離動詞・・・・・・・・・・ 29
再帰動詞・・・・・・・・・・ 32
話法の助動詞・・・・・・・・ 34
受　動・・・・・・・・・・・ 43
分　詞・・・・・・・・・・・ 47
不定詞・・・・・・・・・・・ 50
命令法・・・・・・・・・・・ 54
接続法・・・・・・・・・・・ 56

冠　　詞

定冠詞・・・・・・・・・・・ 64
不定冠詞・・・・・・・・・・ 65
冠詞なしで用いられる場合・・ 66
前置詞と定冠詞の融合形・・・ 67
否定冠詞 kein ・・・・・・・ 67

名　　詞

名詞の性・・・・・・・・・・ 68
名詞の数・・・・・・・・・・ 71
名詞の格変化・・・・・・・・ 74
格の用法・・・・・・・・・・ 77
固有名詞の変化・・・・・・・ 79

代　名　詞

人称代名詞・・・・・・・・・ 82
es の用法・・・・・・・・・ 85
再帰代名詞・・・・・・・・・ 87
相互代名詞・・・・・・・・・ 89
所有代名詞・・・・・・・・・ 90
指示代名詞・・・・・・・・・ 92
疑問代名詞・・・・・・・・・ 96
関係代名詞・・・・・・・・・ 98
不定代名詞(不定数詞も含む)・・ 101

形　容　詞

付加語としての形態と用法・・・ 107
形容詞のその他の用法・・・・ 111
形容詞の比較変化・・・・・・ 111
比較の用法・・・・・・・・・ 113
形容詞の名詞化・・・・・・・ 116

副　　詞

副詞の用法・・・・・・・・・ 119
副詞の種類・・・・・・・・・ 120
副詞の比較・・・・・・・・・ 122

目　次

前　置　詞

2格支配の前置詞．．．．．．． 123
3格支配の前置詞．．．．．．． 123
4格支配の前置詞．．．．．．． 124
3格・4格支配の前置詞．．．． 125
前置詞に関するその他の事項．． 127

接　続　詞

並列の接続詞．．．．．．．．． 129
相関的接続詞．．．．．．．．． 130
従属の接続詞．．．．．．．．． 131
いわゆる副詞的接続詞．．．．． 133
疑問代名詞・疑問副詞の従属の
　接続詞としての用法．．．．． 133

数　詞

基　数．．．．．．．．．．．． 134
序　数．．．．．．．．．．．． 136
分　数．．．．．．．．．．．． 137
倍数と反復数．．．．．．．．． 138
小　数．．．．．．．．．．．． 138
ローマ数字．．．．．．．．．． 138

数　式．．．．．．．．．．．． 139
時　刻．．．．．．．．．．．． 139
年月日．．．．．．．．．．．． 141
金　額．．．．．．．．．．．． 142

造　語

造語の種類．．．．．．．．．． 143
造語の形態上の注意．．．．．． 144

配　語

定動詞の位置．．．．．．．．． 145
配語と伝達価値．．．．．．．． 147
nicht の位置．．．．．．．．． 150

◆　ss と ß の使い分け．．．． 16
◆　略語の性・数・格．．．．． 76
◆　ja—nein—doch．．．．． 142
◆　nicht か kein か？．．．． 151

補　遺．．．．．．．．．．．． 152

不規則変化動詞表．．．．．． 154

索　引．．．．．．．．．．．． 165

Das Alphabet

印刷体	筆記体	名称	印刷体	筆記体	名称
A a	𝒜 𝒶	[aː] アー	Q q	𝒬 𝓆	[kuː] クー
B b	ℬ 𝒷	[beː] ベー	R r	ℛ 𝓇	[ɛr] エル
C c	𝒞 𝒸	[tseː] ツェー	S s	𝒮 𝓈	[ɛs] エス
D d	𝒟 𝒹	[deː] デー	T t	𝒯 𝓉	[teː] テー
E e	ℰ ℯ	[eː] エー	U u	𝒰 𝓊	[uː] ウー
F f	ℱ 𝒻	[ɛf] エフ	V v	𝒱 𝓋	[faʊ] ファウ
G g	𝒢 𝓰	[geː] ゲー	W w	𝒲 𝓌	[veː] ヴェー
H h	ℋ 𝒽	[haː] ハー	X x	𝒳 𝓍	[ɪks] イクス
I i	ℐ 𝒾	[iː] イー	Y y	𝒴 𝓎	['ʏpsilɔn] イュプスィロン
J j	𝒥 𝒿	[jɔt] ヨト	Z z	𝒵 𝓏	[tsɛt] ツェト
K k	𝒦 𝓀	[kaː] カー			
L l	ℒ 𝓁	[ɛl] エル	Ä ä	𝒜̈ 𝒶̈	[ɛː] エー
M m	ℳ 𝓂	[ɛm] エム	Ö ö	𝒪̈ 𝓸̈	[øː] エー
N n	𝒩 𝓃	[ɛn] エヌ	Ü ü	𝒰̈ 𝓊̈	[yː] イュー
O o	𝒪 𝑜	[oː] オー			
P p	𝒫 𝓅	[peː] ペー	ß	ℬ	[ɛs'tsɛt] エスツェト

Ä = A の Umlaut (変音), Ö = O の Umlaut, Ü = U の Umlaut

綴りと発音

1) ドイツ語では，アクセントは原則として語頭にある．
   ◆ 例外 ─ (a) 前綴り be-, emp-, ent-, er-, ge-, ver-, zer- に始まる語：besuchen (b) 多くの外来語：studieren
2) 同じ子音字が二つ続くと(重子音)，一つの子音のように発音され，その直前の母音は必ず短母音である：kommen ['kɔmən コメン] 来る．
3) 発音されない文字は母音の次の h だけである．この場合，h の直前の母音は必ず長母音になる：Ruhe ['ru:ə ルーエ] 憩い．
4) ドイツ語には合成語・派生語がきわめて多い．それらの場合には各構成成分に分けて，発音の規則を適応しなければならない：

abändern	→ ab + ändern	['ap-ɛndərn アプ・エンデルン]
versprechen	→ ver + sprechen	[fɛr'ʃprɛçən フェァシュプレヒェン]
Flugzeug	→ Flug + zeug	['flu:ktsɔyk フルークツォイク]
lebhaft	→ leb + haft	['le:phaft レープハフト]

A. 母音の綴りと発音

a	[a: アー]	Tal [ta:l タール] 谷　Gras [gra:s グラース] 草
	[a ア]	alt [alt アルト] 古い　Mann [man マン] 男, 夫
aa, ah	[a: アー]	Haar [ha:r ハール] 毛　Bahn [ba:n バーン] 鉄道
ai, ay	[aɪ アイ]	Mai [maɪ マイ] 5月
		Bayern ['baɪərn バイエルン] バイエルン地方
au	[aʊ アウ]	Baum [baʊm バウム] 樹木　Haus [haʊs ハウス] 家
ä	[ɛ: エー]	Bär [bɛ:r ベーァ] 熊　Träne ['trɛ:nə トレーネ] 涙
	[ɛ エ]	Kälte ['kɛltə ケルテ] 寒さ　Lärm [lɛrm レルム] 騒音
äh	[ɛ: エー]	nähen ['nɛ:ən ネーエン] 縫う
		gähnen ['gɛ:nən ゲーネン] あくびをする
äu	[ɔY オイ]	Gebäude [gə'bɔydə ゲボイデ] 建物
		träumen ['trɔymən トロイメン] 夢を見る
e	[e: エー]	edel ['e:dəl エーデル] 高貴な

		leben ['le:bən レーベン] 生活する
	[ɛ エ]	Bett [bɛt ベト] ベッド　Heft [hɛft ヘフト] ノート
	[ə エ]	Name ['na:mə ナーメ] 名
		Gabel ['ga:bəl ガーベル] フォーク
ee, eh	[e: エー]	Tee [te: テー] 紅茶　gehen ['ge:ən ゲーエン] 行く
ei, ey	[aɪ アイ]	nein [naɪn ナイン] いいえ
		Meyer ['maɪər マイァ] マイヤー(人名)
eu	[ɔʏ オイ]	neu [nɔʏ ノイ] 新しい　heute ['hɔʏtə ホイテ] 今日
i	[i: イー]	Titel ['ti:təl ティーテル] 表題　Bibel ['bi:bəl ビーベル] 聖書
	[ɪ イ]	Tinte ['tɪntə ティンテ] インク　Lippe ['lɪpə リペ] 唇
ie	[i: イー]	Liebe ['li:bə リーベ] 愛　Brief [bri:f ブリーフ] 手紙
	[iə イエ]	Familie [fa'mi:liə ファミーリエ] 家庭
		Ferien ['fe:riən フェーリエン] 休暇
ih, ieh	[i: イー]	ihn [i:n イーン] 彼を　fliehen ['fli:ən フリーエン] 逃げる
o	[o: オー]	oben ['o:bən オーベン] 上に
		Monat ['mo:nat モーナト] (暦の)月
	[ɔ オ]	oft [ɔft オフト] しばしば　hoffen ['hɔfən ホフェン] 望む
oo, oh	[o: オー]	Boot [bo:t ボート] ボート　ohne ['o:nə オーネ] …なしに
ö	[ø: エー]	hören ['hø:rən ヘーレン] 聞く　Öl [ø:l エール] 油
	[œ エ]	Löffel ['lœfəl レフェル] スプーン
		Köln [kœln ケルン] ケルン(地名)
öh	[ø: エー]	Höhe ['hø:ə ヘーエ] 高さ
		Böhmen ['bø:mən ベーメン] ボヘミヤ地方
u	[u: ウー]	gut [gu:t グート] よい　Blume ['blu:mə ブルーメ] 花
	[ʊ ウ]	Luft [lʊft ルフト] 空気　Bus [bʊs ブス] バス
uh	[u: ウー]	Kuh [ku: クー] 雌牛　Uhr [u:r ウーァ] 時計
ü	[y: イュー]	grün [gry:n グリューン] 緑の　Hügel ['hy:gəl ヒューゲル] 丘
	[ʏ イュ]	Hütte ['hʏtə ヒュテ] 小屋　fünf [fʏnf フュンフ] 5
üh	[y: イュー]	früh [fry: フリュー] 早い　kühl [ky:l キュール] 涼しい
y	[y: イュー]	Typ [ty:p テュープ] タイプ
		Lyrik ['ly:rɪk リューリク] 叙情詩
	[ʏ イュ]	Mystik ['mʏstɪk ミュスティク] 神秘主義
		Hymne ['hʏmnə ヒュムネ] 賛歌

B. 子音の綴りと発音

b	[b ブ]	Liebe ['li:bə リーベ] 愛
		bleiben ['blaɪbən ブライベン] とどまる
	[p プ] （語末および s, t の前で）	gelb [gɛlp ゲルプ] 黄色い
		Obst [o:pst オープスト] 果物
ch	[x ハ, ホ, フ] （a, o, u, au のあと）	machen ['maxən マヘン] 作る
		hoch [ho:x ホーホ] 高い　Frucht [frʊxt フルフト] 果実
		auch [aʊx アウホ] …もまた
	[ç ヒ] （上記以外の大部分）	ich [ɪç イヒ] 私は
		Milch [mɪlç ミルヒ] ミルク　Furcht [fʊrçt フルヒト] 恐怖
	[k ク]	Charakter [ka'raktər カラクタァ] 性格
		Christ [krɪst クリスト] キリスト教徒
	[ʃ シュ]	Chef [ʃɛf シェフ] チーフ
		Chance ['ʃã:s[ə] シャーンス, シャーンセ] チャンス
chs	[ks クス]	Fuchs [fʊks フクス] 狐　Büchse ['bʏksə ビュクセ] 缶
ck	[k ク]	Brücke ['brʏkə ブリュケ] 橋　Glück [glʏk グリュク] 幸運
d	[d ド]	Dame ['da:mə ダーメ] 婦人　drei [draɪ ドライ] 3
	[t ト] （語末で）	und [ʊnt ウント] そして　Abend ['a:bənt アーベント] 晩
		Mond [mo:nt モーント] (天体の)月
ds	[ts ツ]	abends ['a:bənts アーベンツ] 晩に
		eilends ['aɪlənts アイレンツ] 急いで
dt	[t ト]	Humboldt ['hʊmbɔlt フムボルト] フンボルト(人名)
f	[f フ]	fallen ['falən ファレン] 落ちる
		Ofen ['o:fən オーフェン] ストーブ
g	[g グ]	gut [gu:t グート] よい　Glas [gla:s グラース] ガラス
	[k ク] （語末および s, t の前で）	Tag [ta:k ターク] 日
		mittags ['mɪta:ks ミタークス] 正午に
	[ʒ ジュ]	Garage [ga'ra:ʒə ガラージェ] 車庫
		Genie [ʒe'ni: ジェニー] 天才
-ig	[-ɪç イヒ] （語末および s, t の前で）	König ['kø:nɪç ケーニヒ] 王
		Honig ['ho:nɪç ホーニヒ] 蜂蜜
h	[h ハ]	Hund [hʊnt フント] 犬　Gehalt [gə'halt ゲハルト] 給料

子音の綴りと発音

	[無音]	Ehe ['eːə エーエ] 結婚　Ehre ['eːrə エーレ] 名誉
j	[j ユ]	Japan ['jaːpan ヤーパン] 日本
		Jugend ['juːgənt ユーゲント] 青春
k	[k ク]	kalt [kalt カルト] 寒い　Kino ['kiːno キーノ] 映画館
l	[l ル]	Luft [lʊft ルフト] 空気　hell [hɛl ヘル] 明るい
m	[m ム]	Mutter ['mʊtər ムタァ] 母　kommen ['kɔmən コメン] 来る
n	[n ヌ]	Nacht [naxt ナハト] 夜　nennen ['nɛnən ネネン] 名づける
ng	[ŋ ング]	lang [laŋ ラング] 長い　Junge ['jʊŋə ユンゲ] 少年
nk	[ŋk ンク]	Dank [daŋk ダンク] 感謝　Onkel ['ɔŋkəl オンケル] おじ
p	[p プ]	Oper ['oːpər オーパァ] オペラ　Puppe ['pʊpə プペ] 人形
pf	[pf プフ]	Apfel ['apfəl アプフェル] りんご　Kopf [kɔpf コプフ] 頭
ph	[f フ]	Phänomen [fɛnoˈmeːn フェノメーン] 現象
		Prophet [proˈfeːt プロフェート] 予言者
qu	[kv クヴ]	Quelle ['kvɛlə クヴェレ] 泉
		bequem [bəˈkveːm ベクヴェーム] 快適な
r	[r ル]	frieren ['friːrən フリーレン] こごえる　rot [roːt ロート] 赤い

♦ 語尾の **-er** は軽く [ァ] と発音される (Mutter [ムタァ] 母, Nummer [ヌマァ] 番号). これに対して, er, der, erleben などの er は **r** のみが母音化して, [エァ], [デァ], [エァレーベン] のように発音される. **-or, -ur** などもこれに同じ (Autor ['aʊtɔr アウトァ] 著作者, Natur [naˈtuːr ナトゥーァ] 自然).

rh	[r ル]	Rhein [raɪn ライン] ライン河
		Rheuma ['rɔʏma ロイマ] リューマチ
s	[z ズ]	（母音の前で）Susanne [zuˈzanə ズザネ]（女名）
		sieben ['ziːbən ズィーベン] 7
	[s ス]	Eis [aɪs アイス] 氷　Maske ['maskə マスケ] 仮面
ss, ß	[s ス]	küssen ['kʏsən キュセン] キスする
		Klasse ['klasə クラセ] クラス
		fleißig ['flaɪsɪç フライスィヒ] 勤勉な
		groß [groːs グロース] 大きい
sch	[ʃ シュ]	schön [ʃøːn シェーン] 美しい　Mensch [mɛnʃ メンシュ] 人間
sp	[ʃp シュプ]	（語頭で）spät [ʃpɛːt シュペート] 遅い
		Sprache ['ʃpraːxə シュプラーヘ] 言語

綴りと発音

	[sp スプ]	lispeln ['lɪspəln リスペルン] ささやく
		Knospe ['knɔspə クノスペ] つぼみ
st	[ʃt シュト]	(語頭で) Stein [ʃtaɪn シュタイン] 石
		Stuhl [ʃtu:l シュトゥール] 椅子
	[st スト]	gestern ['gɛstərn ゲステルン] 昨日
		Fenster ['fɛnstər フェンスタァ] 窓
t	[t ト]	Tante ['tantə タンテ] おば　bitten ['bɪtən ビテン] 頼む
th	[t ト]	Theater [te'a:tər テアータァ] 劇場
		Thema ['te:ma テーマ] 論題
ti	[tsi ツィ]	(外来語で) Lektion [lɛktsi'o:n レクツィオーン](教科書などの)
		課　Patient [patsi'ɛnt パツィエント] 患者
ts	[ts ツ]	Rätsel ['rɛ:tsəl レーツェル] 謎　nachts [naxts ナハツ] 夜に
tsch	[tʃ チュ]	Deutsch [dɔʏtʃ ドイチュ] ドイツ語
		Dolmetscher ['dɔlmɛtʃər ドルメチャァ] 通訳
tz	[ts ツ]	jetzt [jɛtst イェツト] いま
		sitzen ['zɪtsən ズィツェン] 座っている
v	[f フ]	Vater ['fa:tər ファータァ] 父　viel [fi:l フィール] 多い
	[v ヴ]	November [no'vɛmbər ノヴェムバァ] 11月
		Vase ['va:zə ヴァーゼ] 花びん
w	[v ヴ]	Wagen ['va:gən ヴァーゲン] 車
		schwer [ʃve:r シュヴェーァ] 重い
x	[ks クス]	Text [tɛkst テクスト] テキスト
		Examen [ɛ'ksa:mən エクサーメン] 試験
z	[ts ツ]	zwanzig ['tsvantsɪç ツヴァンツィヒ] 20
		Arzt [a:rtst アールツト] 医師

I. 動詞

A. 現在人称変化

不定詞(動詞の原形)は原則として «**語幹 + 語尾 -en**» という形をとる (lernen, kommen, lieben). 現在人称変化形は，不定詞の語幹に次の語尾をつけて作る．主語の人称・数に応じて変化した動詞の形を «**定動詞**» と呼ぶ．

1. 基本的な現在人称変化

			語尾	lernen 習う	kommen 来る	lieben 愛する
単数	1人称	ich	—e	lerne	komme	liebe
	2人称	du	—st	lernst	kommst	liebst [li:pst]
	3人称	er/sie/es	—t	lernt	kommt	liebt [li:pt]
複数	1人称	wir	—en	lernen	kommen	lieben
	2人称	ihr	—t	lernt	kommt	liebt [li:pt]
	3人称	sie	—en	lernen	kommen	lieben
敬称2人称		Sie	—en	lernen	kommen	lieben

複数1人称 wir, 複数3人称 sie, および敬称2人称 Sie (82頁) の人称変化形は，常に不定詞と同形になる．ただし sein (18頁) は例外．

現在人称変化には次のようなヴァリエーションがある．

a. 語幹が **-t, -d** に終わるものや，その他，若干のものは，口調の都合で du —est, er —et, ihr —et となる．

	arbeiten 働く	finden 見つける	öffnen 開ける
ich	arbeite	finde	öffne
du	arbeit*est*	find*est*	öffn*est*
er*	arbeit*et*	find*et*	öffn*et*
wir	arbeiten	finden	öffnen
ihr	arbeit*et*	find*et*	öffn*et*
sie*	arbeiten	finden	öffnen

これに属するものの例：

- **-bn:** ebnen 平らにする
- **-chn:** rechnen 計算する
- **-ckn:** trocknen 乾かす
- **-dm:** widmen 献呈する
- **-dn:** ordnen 整える
- **-ffn:** öffnen 開ける
- **-gn:** begegnen 出会う
- **-tm:** atmen 呼吸する

♦ * 以下，変化表では単数3人称 er/sie/es は er で，敬称2人称 Sie は複数3人称 sie で代表させる．

動　詞

b. 語幹が歯音 (-s, -ss, -ß, -tz, -z, -x) に終わるものは du —t となる.

	reisen	küssen	grüßen	sitzen
	旅行する	キスする	挨拶する	座っている
ich	reise	küsse	grüße	sitze
du	reist*	küsst*	grüßt*	sitzt*
er	reist	küsst	grüßt	sitzt
wir	reisen	küssen	grüßen	sitzen
ihr	reist	küsst	grüßt	sitzt
sie	reisen	küssen	grüßen	sitzen

例:
lösen　解く
passen　適する
heißen　…という名で
　　　ある
putzen　掃除する
tanzen　踊る
boxen　拳闘する

♦ * 古くは du —est も用いられた (du reisest, du küssest など).

---

ss と ß の使い分け

短母音のあとでは **ss**, それ以外の場合(長母音および複母音のあと)は **ß** とつづられる.

küssen ['kʏsən] キスする — Fluss [flʊs] 川
grüßen ['gryːsən] 挨拶する — heiß [haɪs] 暑い

♦　ß には大文字がないので，大文字書きの場合には SS をあてる.
♦　パソコンなどで ß がないときは ss をあてる.
♦　スイスでは ß の代わりに，つねに ss が用いられる.

---

c. 不定詞の語尾が -n のみのものがあり，その現在人称変化は次のようになる.

　　(a) **tun**　　　(b) **-eln, -ern**

	tun	lächeln	ändern
	行なう	ほほえむ	変更する
ich	tue	lächle*	änd[e]re*
du	tust	lächelst	änderst
er	tut	lächelt	ändert
wir	tun	lächeln	ändern
ihr	tut	lächelt	ändert
sie	tun	lächeln	ändern

例:
klingeln　ベルを鳴らす
sammeln　集める
äußern　表現する
verbessern　改良する

♦　* -eln では語幹の e が落ち，-ern では落ちない傾向がある.

現在人称変化

2. 強変化動詞 (19–20 頁) のなかには，単数 **2・3 人称**で幹母音 (語幹の母音) の変わるものがある．

a. **a → ä**

	fahren (乗物で)行く	fallen 落ちる	laufen 走る	lassen …させる	laden 積む
ich	fahre	falle	laufe	lasse	lade
du	f**ä**hrst	f**ä**llst	l**äu**fst	l**ä**sst[1)	l**ä**dst[2)
er	f**ä**hrt	f**ä**llt	l**äu**ft	l**ä**sst	l**ä**dt[2)
wir	fahren	fallen	laufen	lassen	laden
ihr	fahrt	fallt	lauft	lasst	ladet
sie	fahren	fallen	laufen	lassen	laden

♦ 1) 古くは du lässest も用いられた．
♦ 2) 語幹が -d で終っているが，15 頁 1. a. の原則には従わず，単数 2・3 人称で -e- を入れない．

例： schlafen 眠る，schlagen 打つ，tragen 持ち運ぶ，waschen 洗う

b. **e → i / e → ie**

	sprechen 話す	sehen 見る
ich	spreche	sehe
du	spr**i**chst	s**ie**hst
er	spr**i**cht	s**ie**ht
wir	sprechen	sehen
ihr	sprecht	seht
sie	sprechen	sehen

(**e → i**) の例：
brechen　折る，破る
helfen　　助ける
treffen　　出会う
werfen　　投げる

(**e → ie**) の例：
empfehlen　推薦する
lesen (du liest, er liest)　読む
stehlen　　盗む

♦ ふつう短い e は i に，長い e は ie になる．
ただし geben ['ɡeːbən]「与える」→ du gibst [ɡiːpst], er gibt [ɡiːpt] のような場合もある．

c. きわめて少数であるが，次のような幹母音変化をするものがある．
(**o → ö**)　stoßen　突く，押す： du stößt, er stößt　　　（一語のみ）
(**ö → i**)　erlöschen　消える： du erlischst, er erlischt　（一語のみ）

動　詞

d. 特に綴りに注意を要するもの．

	nehmen	**halten**	**treten**	**gelten**
	取る	保つ	踏む	通用する
ich	nehme	halte	trete	gelte
du	**nimmst**	**hältst**	**trittst**	**giltst**
er	**nimmt**	**hält**	**tritt**	**gilt**
wir	nehmen	halten	treten	gelten
ihr	nehmt	haltet	tretet	geltet
sie	nehmen	halten	treten	gelten

その他：
　braten (肉を)焼く： du brätst,　er brät
　raten 助言する： 　du rätst,　 er rät
　schelten 叱る： 　 du schiltst, er schilt

3. sein, haben, werden; wissen の現在人称変化

	sein	**haben**	**werden**
	…である	持っている	…になる
ich	**bin**	**habe** ['ha:bə]	**werde** ['ve:rdə]
du	**bist**	**hast** [hast]	**wirst** [vɪrst]
er	**ist**	**hat** [hat]	**wird** [vɪrt]
wir	**sind**	haben ['ha:bən]	werden ['ve:rdən]
ihr	**seid**	habt [ha:pt]	werdet ['ve:rdət]
sie	**sind**	haben ['ha:bən]	werden ['ve:rdən]

	wissen
	知っている
ich	**weiß**
du	**weißt**
er	**weiß**
wir	wissen
ihr	·wisst
sie	wissen

♦　wissen は単数で幹母音が変わり，単数 1・3 人称に語尾がないという点で，話法の助動詞と同型の変化である．(34 頁)

B. 動詞の三基本形

不定詞・過去基本形・過去分詞を《**動詞の三基本形**》といい，その形によって，次のように分類される．

	不定詞	過去基本形	過去分詞
1) 弱変化動詞	——en	——te	ge——t
2) 強変化動詞	——en	⤻	ge-⤻-en
3) 混合変化動詞	——en	⤻te	ge-⤻-t
4) その他	sein, haben, werden		

♦　——は語幹を，⤻は幹母音が変わることを示す．

1. 弱変化動詞　（規則変化動詞）

不定詞	過去基本形	過去分詞	
lernen	lernte	gelernt	習う，学ぶ
lieben	liebte	geliebt	愛する
reisen	reiste	gereist	旅行する
arbeiten	arbeitete*	gearbeitet*	働く，勉強する
reden	redete*	geredet*	語る

♦　*　弱変化動詞のうち語幹が -t, -d などに終るものは (15頁 1.a.)，過去基本形 ——e**te**, 過去分詞 ge——e**t** となる．

2. 強変化動詞　（不規則変化動詞）　（巻末「不規則変化動詞表」を参照）

1) 不定詞と過去分詞の母音が同じものの例：			
fahren	fuhr	gefahren	(乗物で)行く
geben	gab	gegeben	与える
kommen*	kam	gekommen	来る
sehen	sah	gesehen	見る

2) 過去基本形と過去分詞の母音が同じものの例：			
bleiben	blieb	geblieben	とどまる
stehen*	stand	gestanden	立っている
tun*	tat	getan	行なう
ziehen*	zog	gezogen	引っ張る，移動する

動　詞

> 3) 不定詞・過去基本形・過去分詞の母音がそれぞれ異なるものの例：
> | | | | |
> |---|---|---|---|
> | finden | fand | gefunden | 見つける |
> | gehen* | ging | gegangen | 行く |
> | sitzen* | saß | gesessen | 座っている |

♦ ＊ 幹母音のみならず，他の綴りにも変化を生ずるものがあるので注意のこと．

3.　混合変化動詞　（不規則変化動詞）　これに属するのは次の 9 個のみ．

不定詞	過去基本形	過去分詞	
brennen	brannte	gebrannt	燃える
bringen	brachte	gebracht	持って行く〈来る〉
denken	dachte	gedacht	考える
kennen	kannte	gekannt	知っている
nennen	nannte	genannt	名づける
rennen	rannte	gerannt	走る
senden*	{ sandte	gesandt	送る
	sendete	gesendet	放送する
wenden*	{ wandte	gewandt	向ける
	wendete	gewendet	裏返す
wissen	wusste	gewusst	知っている

♦ ＊ senden, wenden の二語は，意味によって弱変化になる．

♦ wissen 以外は，すべて過去基本形・過去分詞とも幹母音は **a** になる．

4.　sein, haben, werden の三基本形

不定詞	過去基本形	過去分詞	
sein	war	gewesen	…である
haben	hatte	gehabt	持っている
werden	wurde	geworden	…になる

注意：不規則変化動詞は総数約 200 あり，よく用いられる日常語が多いので，巻末の「不規則変化動詞表」をもとに暗唱することが望ましい．

5. 過去分詞の形態についての注意

a. ge- のつかない過去分詞 (第一音節にアクセントがない動詞の過去分詞には ge- をつけない)

1) -ieren に終る弱変化動詞：
stu'dieren 大学で学ぶ → stu'diert
fotogra'fieren 撮影する → fotogra'fiert

2) アクセントのない前綴り be-, emp-, ent-, er-, ge-, ver-, zer- および voll- をもつ動詞(いわゆる《非分離動詞》) (31頁)：
be'suchen   訪れる   → be'sucht
er'leben   体験する → er'lebt
ge'hören   …に属する → ge'hört
ver'stehen 理解する → ver'standen
voll'bringen やりとげる → voll'bracht

♦ 前綴りをもつ動詞の変化は基礎動詞の変化に従う．例えば verstehen の過去基本形・過去分詞は基礎動詞 stehen から類推すること．

上記八つの前綴りをもつ動詞の過去分詞については，特に次のような点に注意しなければならない．

(a) たとえば **gefallen** は fallen「落ちる」の過去分詞であると同時に，gefallen「気に入る」の過去分詞でもあり，また **gehört** は hören「聞く」の過去分詞であると同時に，gehören「…に属する」の過去分詞でもありうる．このような例には **geraten**（＜raten 忠告する，geraten 陥る），**geboten**（＜bieten 提供する，gebieten 命じる）などがある：

{ Ein Apfel ist vom Baum **gefallen**. りんごが木から落ちた．
{ Das Konzert hat mir **gefallen**.   演奏会は私の気に入った．
{ Ich habe das noch nie **gehört**.   私はそれをまだ聞いたことがない．
{ Früher hat das Haus mir **gehört**. 昔はその家は私のものだった．

(b) 強変化動詞のなかには，不定詞と過去分詞が同形になるものがある：
bekommen 手に入れる — bekam — bekommen
vergessen 忘れる — vergaß — vergessen

(c) 弱変化動詞は過去分詞と単数3人称現在と複数2人称現在が同形になる：
gehören …に属する — gehörte — gehört; er/ihr gehört
erleben 体験する — erlebte — erlebt; er/ihr erlebt

3) miss- で始まる動詞（例: missachten 軽蔑する，misslingen 失敗する，missdeuten 誤解する）は，miss- にアクセントのある場合とない場合があり，過去分詞に ge- がついたりつかなかったりするので，その都度辞書で確認すること．

動　詞

4)　**durch-, hinter-, über-, um-, unter-, wider-, wieder-** で始まる動詞のうち，これらの前綴りにアクセントのないもの (30 頁)：
hinter'lassen　あとに残す　→ hinter'lassen
über'nachten　泊まる　　　→ über'nachtet
um'gehen　　迂回する　　 → um'gangen
unter'suchen　調査する　　→ unter'sucht

5)　その他少数の動詞：
prophe'zeien　予言する　　　　　　→ prophe'zeit
trom'peten　　らっぱを吹く　　　　→ trom'petet
po'saunen　　トロンボーンを吹く　→ po'saunt　等

b.　分離動詞の前綴りは常にアクセントをもち，その過去分詞では，前綴りと基礎動詞の中間に **ge-** が入り，**一語で書かれる** (30 頁).
'ab|reisen　　旅立つ　　　→ 'ab**ge**reist
'auf|stehen　　立ち上がる　→ 'auf**ge**standen
'fest|stellen　　確認する　　→ 'fest**ge**stellt
'teil|nehmen　参加する　　→ 'teil**ge**nommen

♦　前頁 2) の場合と同様，auf|stehen, teil|nehmen などの過去基本形・過去分詞は，基礎動詞 stehen, nehmen から類推すること．

C.　過去人称変化

1.　**動詞の過去形は，《過去基本形》に次の語尾をつけて作る．**

	不定詞 過去基本形	lernen **lernte**	arbeiten **arbeitete**	wissen **wusste**	kommen **kam**
ich	—	lernte	arbeitete	wusste	kam
du	—st	lerntest	arbeitetest	wusstest	kamst
er	—	lernte	arbeitete	wusste	kam
wir	—[e]n*	lernten	arbeiteten	wussten	kamen
ihr	—t	lerntet	arbeitetet	wusstet	kamt
sie	—[e]n*	lernten	arbeiteten	wussten	kamen

♦　*　過去基本形が -e で終わるものは，-n のみをつける．

2. sein, haben, werden の過去人称変化

不定詞 過去基本形	sein **war**	haben **hatte**	werden **wurde**
ich	war	hatte	wurde
du	war**st**	hatte**st**	wurde**st**
er	war	hatte	wurde
wir	war**en**	hatte**n**	wurde**n**
ihr	war**t**	hatte**t**	wurde**t**
sie	war**en**	hatte**n**	wurde**n**

3. 過去人称変化についての注意

a. 過去基本形が **-t, -d** に終るものは，**du —[e]st, ihr —et** となる．

不定詞　　　　過去基本形
halten 保持する → **hielt** — du hielt[e]st, ihr hieltet
finden 見つける → **fand** — du fand[e]st, ihr fandet

b. 過去基本形が **-s, -ß, -sch, -z** に終るものは，**du —est** となる．
現在人称変化との相違に注意．（16 頁）

不定詞 過去基本形	lesen 読む **las**	essen 食べる **aß**	schließen 閉じる **schloss**
ich	las	aß	schloss
du	las**est**	aß**est**	schloss**est**
er	las	aß	schloss
wir	las**en**	aß**en**	schloss**en**
ihr	las**t**	aß**t**	schloss**t**
sie	las**en**	aß**en**	schloss**en**

動　詞

D. 複合時称の形態

　時称の助動詞 haben, sein, werden と動詞の不定詞や過去分詞を組み合わせて表現する時称(現在完了・過去完了・未来・未来完了)を《**複合時称**》という．現在と過去は，これらの助動詞を必要としないので，《**単一(単独)時称**》と呼ぶ．

1. 現在完了: haben/sein の現在人称変化＋……過去分詞(文末)

ich habe			ich bin		
du hast			du bist		
er hat		……gelernt	er ist		……gekommen
wir haben			wir sind		
ihr habt			ihr seid		
sie haben			sie sind		

2. 過去完了: haben/sein の過去人称変化＋……過去分詞(文末)

ich hatte			ich war		
du hattest			du warst		
er hatte		……gelernt	er war		……gekommen
wir hatten			wir waren		
ihr hattet			ihr wart		
sie hatten			sie waren		

3. 未来: werden の現在人称変化＋……不定詞(文末)

ich werde			ich werde		
du wirst			du wirst		
er wird		……lernen	er wird		……kommen
wir werden			wir werden		
ihr werdet			ihr werdet		
sie werden			sie werden		

複合時称の形態

4. 未来完了：werden の現在人称変化＋……完了不定詞*(文末)

ich werde		ich werde	
du wirst		du wirst	
er wird	…gelernt haben	er wird	…gekommen sein
wir werden		wir werden	
ihr werdet		ihr werdet	
sie werden		sie werden	

♦ ＊ 完了不定詞＝過去分詞＋haben/sein. haben か sein かについては下記 5. 参照.

5. 現在完了・過去完了の助動詞

現在完了・過去完了は助動詞 haben または sein を定動詞とし，本動詞の過去分詞を文末において作る．大部分の動詞は助動詞 **haben** と結んで完了形を作るが，自動詞の一部には助動詞 **sein** と結んで完了形を作るものがある．

a. 助動詞 sein と結ばれる自動詞

1) 場所の移動を表わすもの: gehen 行く, kommen 来る, fahren (乗物で)行く, einsteigen 乗車する, aussteigen 下車する, 等.
2) 状態の変化を表わすもの: werden …になる, sterben 死ぬ, einschlafen 眠り込む, wachsen 成長する, 等.
3) その他少数のもの: sein …である, bleiben とどまる, begegnen 出会う, gelingen 成功する, 等.
   ♦ ドイツ語では**4格目的語をとる動詞**を《他動詞》と呼び，それ以外はすべて《自動詞》という．例えば (jm.) begegnen は自動詞である.

b. 助動詞 haben と sein を使い分ける動詞

1) 場所の移動を表わす自動詞でも，行為そのものを表わす場合には haben と結ぶことがある: Er **ist** über den Fluss **geschwommen**. 彼は川を泳いで渡った．| Er **ist**⟨**hat**⟩ gestern eine volle Stunde **geschwommen**. 彼はきのう丸1時間泳いだ．| Er **hat**⟨**ist**⟩ 100 m **gelaufen**. 彼は100メートル走った.
2) ふつう sein と結ばれる自動詞であっても，他動詞として用いられるときは haben と結ばれる: Ich **habe** *ihn* zum Bahnhof **gefahren**. 私は彼を駅まで車で送った．(↔ Ich **bin** zum Bahnhof **gefahren**. 私は駅まで車で行った).
3) liegen, sitzen, stehen は haben と結ぶが，南ドイツでは sein と結ぶこともある: Du **bist** zehn oder zwölf Jahre in der Schule **gesessen**. (H. Hesse) お前は卒業するのに10年から12年もかかった.

動　詞

- 辞書では，sein と結ぶ動詞を (s), haben と結ぶ動詞を (h), 両方ありうるものは (s, h) のように記してある．このような記号のついていない動詞はすべて haben を助動詞とする．

E.　時称の用法

1.　現在形

a.　現在に関する事柄．

1) 現在時点（英語の現在形と現在進行形）: Das Schiff **liegt** im Hafen. 船が港に停泊している．| Ich **lese** *gerade* eine Zeitung. 私はいま新聞を読んでいる．
2) 現在時点を含む継続．多くは時の状況語を伴って：（過去から現在へ．英語では現在完了形で表現する:) Ich **lerne** *seit zwei Jahren* Deutsch. 私は2年前からドイツ語を勉強している．|（現在から未来へ:) Ich **bleibe** noch *drei Tage* hier. 私はあと3日ここにいます．

b.　未来に関する事柄．(28頁)
Wohin **fährst** du morgen? — Ich **fahre** nach Bonn. 君は明日はどこへ行くのか？— ボンへ行きます．| Er **kommt** gleich wieder. 彼はすぐに戻って来ます．

c.　過去に関する事柄．（表現を簡潔に，あるいは生き生きとさせるため，過去の事柄の記述に現在形を用いることがある．いわゆる《歴史的現在》）
年表等: Im Jahre 1913 **veröffentlicht** Thomas Mann den „Tod in Venedig". 1913年にトーマス・マンは『ヴェニスに死す』を発表する．
小説等: Dann *nahm* sie meine beiden Hände und *vergrub* ihr Gesicht darin. Der Duft von ihren Haaren *stieg* zu mir *auf*; ich *atmete* ihn mit Entzücken *ein* … In diesem Augenblick — **öffnet** sich leise die Tür, die nur *angelehnt war*, und Friederikens Mann **steht** da.　Ich **will** aufschreien, **bringe** aber keinen Laut **hervor** … Noch im selben Augenblick *ist* er wieder *verschwunden* und die Tür *geschlossen* … An das, was zunächst *geschah*, denke ich wie an einen tollen Traum. (A. Schnitzler) そして彼女は私の両手を取り，その中に顔をうずめた．彼女の髪の香りがたちのぼり，私はうっとりとして，それを吸い込んだ…そのとき―鍵のかかっていなかったドアが開き，そこにフリーデリーケの夫が立っている．私は叫ぼうとするが，声が出ない… 次の瞬間，彼の姿はもう消え，ドアは閉っている… それからどうなったかを思い出すと，まるで悪夢だったような気がするのだ．

d.　時間的制約のない事柄．

1) 真理・諺など: Die Sonne **geht** im Osten **auf**. 太陽は東から昇る．| Deutsch-

land **liegt** in der Mitte Europas. ドイツはヨーロッパの中央に位置する. | Hunger **ist** der beste Koch. 空腹にまずいものなし.
2) 習慣的反復: Ich **spiele** jeden Tag Tennis. 私は毎日テニスをする.

e. 話者の意志・命令: Du **bleibst** hier! 君はここにいろ. | Man **isst** nicht im Stehen! 立ったままで食べるものではない.

2. 過去形

過去の事柄を述べるのには, 過去形および現在完了形が用いられる. その使い分けの規則は必ずしも判然としていないが, 日常語では現在完了形が多く使われる. 過去形が好んで用いられるのは, 次のような場合である.

a. sein, haben, 話法の助動詞, および受動文では, 比較的多く過去形が用いられる: Wie lange **warst** du in Italien? 君はどれくらいイタリアにいましたか? | Ich **hatte** gestern starke Kopfschmerzen und habe deshalb nicht geschwommen. 私は昨日ひどい頭痛がしたので, 泳がなかった. | Es **war** so komisch, dass ich lachen **musste**. あまりおかしかったので, 私は笑わずにはいられなかった. | Ich **wurde** oft bei ihm **eingeladen**. 私はよく彼のところに招かれた.

b. 物語・小説などで, 過去の事柄を現在と無関係に叙述する場合: Es **war** einmal mitten im Winter, und die Schneeflocken **fielen** wie Federn vom Himmel herab, da **saß** eine Königin an einem Fenster. 冬のさなかのことでした. 雪が羽毛のように空から舞い落ちていました. そして王妃様が窓べに座っておられました.

c. 日常会話で, 聞き返すときなどに過去形が現在の意味で用いられることがある: Wie **war** noch Ihr Name? お名前は何とおっしゃいましたか?

3. 現在完了形

a. 日常語では, 過去の事柄はふつう現在完了形で表現する (特に南ドイツではこの傾向が強い): Gestern **hat** es **geregnet**. きのう雨が降った.

b. 経験を表わして: **Haben** Sie mal mit dem Computer **gearbeitet**? あなたはコンピュータで仕事をしたことがありますか?

c. 過去の事柄を現在とまだ関係があるという見方で述べる: Der Juni **ist gekommen**, im Garten blühen die Rosen. 6月が来た. 庭にはばらが咲いている. | Gestern **habe** ich wieder zu viel **getrunken**. きのうはまた飲みすぎた.

d. たったいま完了した事柄を表わす (eben, jetzt, gerade などとともに): Ich **habe** den Roman *eben* **durchgelesen**. 私はその小説をたったいま読み終えた

動　詞

ところだ.

e. 未来完了形の代わりに：In zwei Stunden **habe** ich den Brief sicher schon **geschrieben**. 2時間後には私はきっとこの手紙を書き終えているだろう.

f. ある状態がもはや完了してしまったことを強調して：Du **bist** mein Freund **gewesen**. お前とはもう絶交だ.（←友人であった時期はもう終った）

g. haben＋geschlossen/geöffnet の特殊な用法 ⇨ 補遺152頁

4. 過去完了形

過去のある時点から見ての過去および完了を表わす.

Als sie kam, **war** er schon **weggegangen**. 彼女が来たときには，彼はもう立ち去ったあとだった. | Nachdem sie sich **ausgezogen hatte**, schlüpfte sie ins Bett. 彼女は衣服を脱いでから，ベッドへすべり込んだ.

♦ 厳密には過去完了形を使うべき場合でも，過去形を用いることがある：Ich **wartete** schon zwei Stunden auf ihn, als er kam. 私が2時間も待ったころ，彼はやって来た.

5. 未来形

a. 純粋に時間的な未来は現在形で表現されるので(26頁)，未来形が用いられるのは，未来の事柄が何らかの話法的な意味を含む場合である.

1) 未来に対する推量，避けがたい未来(威嚇・恐れなど)：Morgen **wird** es **regnen**. あすは雨になるだろう. | Du **wirst** noch im Zuchthaus **enden**! お前なんぞ刑務所暮しで終るさ.

2) 約束・意図(主に1人称を主語として)：Für dich **werde** ich alles **tun**. 君のためなら私はなんでもするよ.

3) 強い命令(2人称を主語として)：Du **wirst** gleich ins Bett **gehen**! お前はすぐ寝なさい.

b. 現在の推量(主に3人称を主語として. しばしば wohl, sicher, vielleicht などと)：Er **wird** jetzt *wohl* krank **sein**. 彼はいま病気なのだろう.

6. 未来完了形

a. 未来のある時点で完了している事柄を表わす(ただし28頁3.e.)：In zwei Stunden **werde** ich den Brief sicher schon **geschrieben haben**. 2時間後には私はきっとこの手紙を書き終えているだろう.

b. 過去ないし完了した事柄についての推量：Sie **wird** in ihrer Jugend schön **gewesen sein**. 彼女は若いころ美人だっただろう. | Er **wird** das Haus schon **verlassen haben**. 彼はもう家を出てしまっただろう.

F. 分離動詞

「分離する前綴り＋動詞」の形をした動詞を《**分離動詞**》と呼ぶ．分離する前綴りは原則として独立した単語としても用いられる語であり，副詞や前置詞が多く，形容詞，名詞のこともある．

> ab-, an-, auf-, aus-, bei-, da[r]-, ein-, fort-, her-, hin-, los-, mit-, nach-, teil-, vor-, weg-, zu- 等

'**ab**|reisen　旅立つ　　'**an**|fangen　始まる　　'**mit**|bringen　携えて来る
'**fern**|sehen　テレビを見る　　'**teil**|nehmen　参加する

1. 分離動詞の三基本形

不定詞	過去基本形	過去分詞	
ab|reisen	reiste **ab**	**ab**gereist	旅立つ
an|fangen	fing **an**	**an**gefangen	始める
mit|bringen	brachte **mit**	**mit**gebracht	携えて来る
teil|nehmen	nahm **teil**	**teil**genommen	参加する

2. 分離動詞についての注意

a. 分離する前綴りは常にアクセントを持つ（辞書の見出語では前綴りと動詞のあいだに分離線が入れてある）．分離動詞は，主文で定動詞として用いられたときは分離し，前綴りは文末に置かれる．

例： **an**|fangen

現在：　Die Arbeit **fängt** um 8 Uhr **an**.　　仕事は8時に始まる．

過去：　Die Arbeit **fing** um 8 Uhr **an**.　　仕事は8時に始まった．

命令：　**Fang** sofort mit der Arbeit **an**!　　すぐ仕事を始めろ！

b. 前綴りが分離せず，一語に書かれる場合．
1) 副文において：Er weiß, dass die Arbeit um 8 Uhr **anfängt**. 仕事が8時に始まることを，彼は知っている．
2) 助動詞とともに用いられる場合（助動詞が定動詞となる）：Er muss sofort mit der Arbeit **anfangen**. 彼はただちに仕事を始めなければならない．

動　詞

c. 過去分詞では，前綴りと基礎動詞の中間に **ge-** が入り，**一語で書かれる** (22頁 b).

Er ist gestern nach Bonn **abgereist**.　　彼は昨日ボンへ発った.
Die Arbeit hat pünktlich **angefangen**.　　仕事は定刻に始まった.

d. zu 不定詞では，前綴りと基礎動詞の中間に zu が入り，一語で書かれる.
ab|reisen → ab**zu**reisen
Du brauchst morgen nicht **abzureisen**.　君はあした出発しなくてもいい.
an|fangen → an**zu**fangen
Das Konzert scheint bald **anzufangen**.　音楽会はまもなく始まるようだ.

e. durch-, hinter-, über-, um-, unter-, wider-, wieder- はアクセントを持つ場合は分離の前綴りとなり，アクセントを持たない場合は分離せず，過去分詞に **ge-** をつけない．（いわゆる《**分離または非分離動詞**》）

1) 前綴りが常にアクセントなしで用いられる動詞の例:
(über'nachten:) Wo **übernachten** Sie heute?　君は今夜どこに泊まるのか?
(wider'sprechen:) Niemand wagte, ihm zu **widersprechen**.　誰も彼に反論しようとしなかった.
(unter'brechen:) Er hat die Reise **unterbrochen**.　彼は旅行を中断した.

2) 前綴りが必ずアクセントを持つ動詞の例:
('um|bringen:) Er **brachte** seine Frau **um**.　彼は自分の妻を殺した.
('wieder|kehren:) Diese Gelegenheit wird nie **wiederkehren**.　このような機会は二度と来ないだろう.

3) 意味により前綴りがアクセントを持つ場合と持たない場合のある動詞の例:
　{ ('um|gehen 歩き回る:) Die Gespenster **gehen** in den Ruinen des Schlosses **um**.　幽霊が城の廃墟をうろつき回っている.
　 (um'gehen 回避する:) Wir **umgehen** dieses Problem absichtlich.　我々はこの問題を故意に避ける.
　{ ('über|setzen 船で渡す:) Der Fährmann **setzt** uns ans andere Ufer **über**.　船頭は我々を向こう岸へ渡す.
　 (über'setzen 翻訳する:) Ich **übersetze** den Roman ins Deutsche.　私はこの小説をドイツ語に訳す.

f. 合成名詞から作られた動詞.

1) 分離動詞のように見えるが，分離しない動詞がある. これらはすべて規則変

化する.
(Frühstück 朝食 →)　　'frühstücken　　朝食をとる
(Langweile 退屈 →)　　'langweilen　　退屈させる
(Ratschlag 助言 →)　　'ratschlagen　　助言する

不定詞	過去基本形	過去分詞
'frühstücken	'frühstückte	ge'frühstückt
'langweilen	'langweilte	ge'langweilt
'ratschlagen* (er ratschlagt)	'ratschlagte	ge'ratschlagt
《参照:》 schlagen (er schlägt)	schlug	ge'schlagen (強変化)

♦ *　ratschlagen は不定詞以外はあまり用いられない.

2) 合成名詞に, さらにアクセントのない前綴りのついた動詞もある. これらも分離動詞ではない. すべて規則変化する.

不定詞	過去基本形	過去分詞
be'ratschlagen	be'ratschlagte	be'ratschlagt　相談する
ver'abschieden	ver'abschiedete	ver'abschiedet　別れを告げる
《参照:》 scheiden	schied	geschieden (強変化)

g. 第一音節にアクセントのない動詞(21頁)に, 分離する前綴りがついた場合. これらは分離動詞であるが, 過去分詞に ge- をつけない.

不定詞	過去基本形	過去分詞
'vor|bereiten	bereitete vor	'vorbereitet　準備する
'ein|studieren	studierte ein	'einstudiert　習得する
'an|erkennen*	erkannte an	'anerkannt　承認する

♦ *　分離しない形もある: ich 'anerkenne, ich 'anerkannte…

h. アクセントのない前綴り **be-, emp-, ent-, er-, ge-, ver-, voll-, zer-** をもつ動詞は分離せず, 過去分詞には **ge-** をつけない(いわゆる《非分離動詞》).

Er **besuchte** seinen Lehrer. 彼は彼の先生を訪問した.
Er hat seinen Lehrer **besucht**.
Er fuhr nach Bonn, um seinen Lehrer zu **besuchen**. 彼は彼の先生を訪問するために, ボンへ行った.

G. 再帰動詞

再帰代名詞(87頁)と結合してひとつの概念を表わす動詞を《**再帰動詞**》という.再帰代名詞は多くは4格であるが,3格の場合もある.完了時称の助動詞はhaben である.

1. 4格の再帰代名詞と結ぶもの

不 定 詞	sich⁴ schämen 恥じる
現　　在	ich schäme mich　　wir schämen uns du schämst dich　　ihr schämt euch er　schämt　sich　　sie schämen sich
過　　去	ich schämte mich
現在完了	ich habe　　mich geschämt
過去完了	ich hatte　　mich geschämt
未　　来	ich werde　 mich schämen
未来完了	ich werde　 mich geschämt haben
命 令 形	schäme dich! / schämt euch! / schämen Sie sich!

a. 再帰動詞としてのみ用いられるものの例.

sich⁴ beeilen	急ぐ	sich⁴ erkälten	風邪をひく
sich⁴ begeben	赴く	sich⁴ nähern	近づく
sich⁴ entschließen	決心する	sich⁴ verspäten	遅れる

Wir müssen **uns beeilen**, wenn wir rechtzeitig da sein wollen. 遅れないで着こうと思えば,私たちは急がなければならない.

Bei diesem kühlen Wetter kann man **sich** leicht **erkälten**. こういう冷たい天候のときは風邪をひきやすい.

♦ 再帰動詞の過去分詞が再帰代名詞をともなわず,sein と結ばれて,状態を表わすことがある:

  Er **ist erkältet**. 彼は風邪をひいている.
  Der Zug **ist verspätet**. 列車は遅れている.

b. 再帰動詞としても用いられる他動詞の例.

jn. ärgern	…を立腹させる	→ sich⁴ ärgern	腹を立てる
*jn./et.*⁴ bewegen	…を動かす	→ sich⁴ bewegen	動く
jn. erinnern	…に思い出させる	→ sich⁴ erinnern	思い出す

jn. freuen	…を喜ばせる	→ sich^4 freuen		喜ぶ
jn./et.^{4} setzen	…を据える	→ sich^4 setzen		座る
jn. wundern	…を不思議がらせる	→ sich^4 wundern		不思議に思う

Setz dich bitte auf den Stuhl! どうぞその椅子におかけなさい.

Ich **erinnere mich** oft an meine Heimat. 私はしばしば故郷を思い出す.

♦ 辞書では再帰動詞は, 囲 または refl., rfl., r などと記されている.

2. 3格の再帰代名詞と結ぶもの

不定詞	**sich**^{3} *et.*^{4} **vor|stellen** …を思い描く
現　在	ich stelle　mir　*et.*^{4} vor　　wir stellen　uns　*et.*^{4} vor
	du stellst　dir　*et.*^{4} vor　　ihr stellt　euch　*et.*^{4} vor
	er stellt　sich　*et.*^{4} vor　　sie stellen sich　*et.*^{4} vor
過　去	ich stellte　mir　*et.*^{4} vor
現在完了	ich habe　mir　*et.*^{4} vorgestellt
過去完了	ich hatte　mir　*et.*^{4} vorgestellt
未　来	ich werde　mir　*et.*^{4} vorstellen
未来完了	ich werde　mir　*et.*^{4} vorgestellt haben
命令形	stell dir *et.*^{4} vor! / stellt euch *et.*^{4} vor! /
	stellen Sie sich *et.*^{4} vor!

例：　sich^3 *et.*^{4} an\|eignen　　…を我がものにする
　　　sich^3 *et.*^{4} ein\|bilden　　…であると思い込む
　　　sich^3 *et.*^{4} vor\|nehmen　…を決心する

Ich kann **mir** nicht **vorstellen**, dass sie glücklich ist. 彼女が幸福であるとは, 私には考えられない.

Wo **hast** du **dir** diese schlechte Gewohnheit **angeeignet**? 君はこんな悪い習慣をどこで身につけたのか?

Er **hat sich vorgenommen**, Deutsch zu lernen. 彼はドイツ語を習うことを決心した.

3. その他の再帰的表現. (87-89 頁)

4. 再帰動詞は特定の前置詞と結ばれることが多い. (127 頁)

5. 文中での再帰代名詞の位置. (149 頁)

動　詞

H. 話法の助動詞

動詞を補って，その動詞に話者・主語・第三者などの主観的なニュアンス等を加える働きをする助動詞を《話法の助動詞》と呼び，dürfen, können, müssen, sollen, wollen, mögen の六つがある．

1. 話法の助動詞の現在人称変化（単数1・3人称が同形となる）

	dürfen	können	müssen	sollen	wollen	mögen	
ich	darf	kann	muss	soll	will	mag	(möchte*)
du	darfst	kannst	musst	sollst	willst	magst	(möchtest)
er	darf	kann	muss	soll	will	mag	(möchte)
wir	dürfen	können	müssen	sollen	wollen	mögen	(möchten)
ihr	dürft	könnt	müsst	sollt	wollt	mögt	(möchtet)
sie	dürfen	können	müssen	sollen	wollen	mögen	(möchten)

♦ * mögen の現在形はあまり用いられず，その接続法 II möchte が願望の表現にきわめて多く用いられる (40 頁).

Ich **kann** so ein teures Buch nicht *kaufen.* 私はそんな高い本は買えない.｜Morgen **musst** du um 5 Uhr *aufstehen.* あした君は5時に起きなければならない.｜Hans **will** sie unbedingt *heiraten.* ハンスは彼女とぜひ結婚したいと思っている.

♦ 話法の助動詞が定動詞として用いられると，本動詞は (zu のない) 不定詞の形で文末におかれる.

2. 話法の助動詞の三基本形

不定詞	過去基本形	過去分詞		
dürfen	durfte	gedurft	(dürfen)	…してもかまわない
können	konnte	gekonnt	(können)	…できる
müssen	musste	gemusst	(müssen)	…しなければならない
sollen	sollte	gesollt	(sollen)	…すべきである
wollen	wollte	gewollt	(wollen)	…しようと思う
mögen	mochte	gemocht	(mögen)	…だろう

♦ sollen, wollen の二語は弱変化. 他は混合変化 (20 頁) と類似の変化をする.
♦ 英語の can などと異なり，不定詞も過去分詞も存在することに注意.

3. 話法の助動詞の過去人称変化

不定詞 過去基本形	dürfen **durfte**	können **konnte**	müssen **musste**	sollen **sollte**	wollen **wollte**	mögen **mochte**
ich	durfte	konnte	musste	sollte	wollte	mochte
du	durf**test**	konn**test**	muss**test**	soll**test**	woll**test**	moch**test**
er	durfte	konnte	musste	sollte	wollte	mochte
wir	durf**ten**	konn**ten**	muss**ten**	soll**ten**	woll**ten**	moch**ten**
ihr	durftet	konntet	musstet	solltet	wolltet	mochtet
sie	durf**ten**	konn**ten**	muss**ten**	soll**ten**	woll**ten**	moch**ten**

4. 話法の助動詞の六時称

話法の助動詞も六時称を作る．完了時称の助動詞は haben．

現　　在	Ich **kann**	Deutsch *sprechen*. 私はドイツ語を話すことができる．
過　　去	Ich **konnte**	Deutsch *sprechen*.
現在完了	Ich **habe**	Deutsch *sprechen* **können**.[1]
過去完了	Ich **hatte**	Deutsch *sprechen* **können**.
未　　来	Ich **werde**	Deutsch *sprechen* **können**.
未来完了	Ich **werde**	Deutsch **haben** *sprechen* **können**.[2]

◆ 1) 完了時称における話法の助動詞の過去分詞は，直前に他の動詞の不定詞があれば，不定詞と同形になる．

◆ 2) 未来完了では，完了の助動詞 haben は《「不定詞」+「不定詞と同形の過去分詞」》の直前におかれる (147頁)．この形は実際には稀．

5. 話法の助動詞についての注意

a. 副文における話法の助動詞の語順．

1) 話法の助動詞を定動詞とする文が副文となった場合，話法の助動詞は，副文の原則どおり文末におかれる: Ich freue mich sehr, dass er die Prüfung *bestehen* **konnte**. 彼が試験に合格できたことが，私にはたいへんうれしい．

2) 副文中で話法の助動詞の複合時称が用いられた場合は，定動詞 werden または haben は《2個の不定詞》の，ないし《「不定詞」+「不定詞と同形の過去分詞」》の直前におかれる (147頁): Ich weiß, dass ich bald nach Köln **werde** *fahren* **müssen**. 私がもうすぐケルンへ行かねばならないであろうことは，わかっています．| Ich freue mich sehr, dass er die Prüfung **hat** *bestehen* **können**. 彼が試験に合格できたことが，私にはたいへんうれしい．

動　詞

b. 英語と異なり，話法の助動詞は **zu** 不定詞句を作ることができる．
Ich freue mich darauf, Sie bald sehen **zu können**. あなたにまもなくお目にかかれるのを，楽しみにしています．

c. **英語と異なり他の話法の助動詞とともに用いることができる．**
Ein Student **muss** zwei Fremdsprachen verstehen **können**. 学生たるものは二つの外国語を理解できなければならない．

d. 話法の助動詞は受動の不定詞とともに用いることもできる．(45頁)

e. 話法の助動詞が単独で用いられる場合，過去分詞は **ge——t** となる．

現　在	Ich **kann**	Deutsch.　私はドイツ語ができる．
過　去	Ich **konnte**	Deutsch.
現在完了	Ich **habe**	Deutsch **gekonnt**.
過去完了	Ich **hatte**	Deutsch **gekonnt**.
未　来	Ich **werde**	Deutsch **können**.
未来完了	Ich **werde**	Deutsch **gekonnt haben**.

1) 文脈から意味が明白なとき(本動詞の代わりにes, dasを用いて)：**Kann** man hier *rauchen*? — Nein, *das* **darf** man nicht. ここでたばこをすってもいいですか？—いいえ，いけません．
2) 方向を表わす状況語(副詞句)があるとき(kommen, gehen などが省略されて)：Jetzt **muss** ich *zum Bahnhof*. いまから私は駅へ行かなければならない．| Ich **habe** schnell *nach Haus* **gemusst**. 私は急いで帰宅しなければならなかった．
3) 独立した他動詞とみなせる場合：Ich **mag** keinen Streit. 私は争いは好まない．| Er **hat gewollt**, dass das sofort geschieht. それがただちに行なわれることを，彼は望んでいた．

6. 話法の助動詞の主な意味

a.　**dürfen**

1) 許可「…してもよい」，(否定詞とともに)禁止「…してはいけない」；丁寧な申し出：Sie **dürfen** mich jederzeit anrufen. いつ私にお電話くださっても結構です．| So etwas **darfst** du *nicht* sagen. そんなことを君は言ってはいけない．| **Darf** ich Ihnen helfen? お手伝いいたしましょうか？ | Was **darf** es sein? (商店などで:)何にいたしましょうか？

2) nur/bloß とともに「…しさえすればよい」: Du **darfst** *nur* klingeln; ich bin gleich da. ベルを鳴らしてくれさえすれば，すぐに参ります．

3) 推量(接続法 II dürfte の形で)「…だろう」: Sie **dürfte** *wohl* schon vierzig Jahre alt sein. 彼女はもう40歳にはなっているだろう．

b. können

1) 可能・能力「…できる」: **Kann** man hier in der Nähe etwas essen? この近くで何か食べられますか? | Das Kind **kann** noch nicht laufen. その子供はまだ歩けない．

2) 丁寧な依頼「…してくださいませんか?」: **Können** Sie mir bitte sagen, wie man zum Bahnhof kommt? 駅へはどう行ったらよいか，教えてくださいませんか? | **Könnten** Sie nicht vielleicht ein Auge zudrücken? 見逃して(←片目をつぶって)もらえませんかね?

3) 許可「…してもよい」(dürfen よりもくだけた調子で): **Kann** ich jetzt gehen? 私はもう行ってもいいですか? | **Könnte** ich bitte den Zucker haben? (食卓で:)砂糖を取っていただけますか?

4) 命令「…しなさい」: Das **kannst** du ihm selber sagen, ich nicht. それは君が自分で彼に言いなさい，私は嫌ですよ．

5) 丁寧な指示・勧告「…しなさい，…するといいですよ」: Sie **können** mit der U-Bahn fahren. 地下鉄でいらっしゃい．| Gehen Sie bis zur nächsten Kreuzung. Dort **können** Sie wieder fragen. 次の十字路まで行って，そこでもう一度お尋ねになるといいですよ．

6) 可能性・推量「…かもしれない」: Es **kann** jeden Augenblick regnen. いまにも雨が降ってくるかもしれない．| Wer **kann** das getan haben? 誰がそれをやったのだろう? | Er **könnte** das Geld gestohlen haben. 彼がその金を盗んだのかもしれない．| Das **kann** nicht wahr gewesen sein. それが本当であったはずがない．

7) 単独での用法: Er **kann** alles ⟨nichts⟩. 彼は何でもできる⟨何もできない⟩．| Er **kann** das Gedicht auswendig. 彼はその詩を暗唱できる．

c. müssen

1) 義務・強制・必要・必然「…しなければならない」: Auch der Vater **muss** für die Kinder sorgen. 父親も子供の面倒をみなければならない．| Du **musst** noch das Bett hüten. 君はまだ床についていなければいけない．| Alle Menschen **müssen** sterben. 人間はみな死ななければならない．

♦ 「…してはいけない」を表わすにはふつう «nicht dürfen» を用いる．「…

動　詞

する必要はない」を表わすには «nicht+müssen» と並んで «nicht brauchen +zu 不定詞» が多く用いられる．(42頁，51頁)
2) 強い勧告「ぜひ…しなさい」: Den Film **musst** du dir mal ansehen. あの映画をぜひ見たまえ．
3) 自発「…せずにはいられない」: Ich **musste** beim Zuhören lachen. 私は聞いていて笑わずにはいられなかった．
4) 強い意志「どうしても…したがる」: Sie **muss** doch immer die Hauptrolle spielen, sonst wird sie sauer. 彼女はなにしろいつも自分が主役でないと気がすまない，でないと機嫌が悪くなる．
5) 非難の調子をこめて: Dass du jedesmal zu spät kommen **musst**! なんで君はいつも遅れてくるんだ．
6) 論理的必然「…にちがいない」: Er **muss** jetzt müde sein. 彼はいまきっと疲れているのだろう．| Sie **muss** in ihrer Jugend schön gewesen sein. 彼女は若いころきっと美人だったにちがいない．

d. sollen

wollen が主語の意思を表わすのに対して，sollen は主語以外のものの意思を表わす．
1) 義務・道義的要求「…すべきである」: Du **sollst** deinen Nächsten lieben wie dich selbst. あなたは自分自身を愛するようにあなたの隣人を愛しなさい．| Man **soll** die Verkehrsregeln beachten. 交通規則を守らなければならない．
2) 第三者の意思: Ich **soll** Arzt werden. 私は医者になれと言われている．| Ich **soll** Ihnen Grüße von Herrn Schmidt bestellen. シュミットさんからあなたによろしくとのことです．| Der Chef sagt, du **sollst** gleich zu ihm kommen. チーフがすぐ来いって．
3) 相手の意思を尋ねる(疑問文で): **Soll** ich das Fenster aufmachen? 窓を開けましょうか? | Wo **soll** ich den Schirm hinstellen? この傘はどこへ置いたらいいですか?
4) 話者の意思: Du **sollst** gleich zu mir kommen. すぐに私のところへ来たまえ．| Entschuldigen Sie! Das **soll** nicht wieder vorkommen. ごめんなさい．もう二度といたしません．
5) 命令文を間接話法に改めて．(63頁)
6) 予定・運命を表わして: Als Student war er immer faul. Das **sollte** sich später rächen. 学生時代彼はいつも怠け者だった．あとでその報いを受けることになった．
7) 疑問文で不審・疑惑を示して: Was **soll** das bedeuten? それはどういう意

味なのだろうか？ | **Sollte** das wahr sein? そんなことほんとうだろうか？
8) 噂「…だそうである」: Inge **soll** im Juni geheiratet haben. Ihr Mann **soll** Ingenieur sein. インゲは6月に結婚したそうだ．彼女の夫はエンジニアだということだ．
9) 仮定・認容の意味を強める(接続法 II で. 60 頁): Es wäre tragisch, wenn er sie heiraten **sollte**. 仮に彼が彼女と結婚するということになれば，悲劇だろうよ．| Und wenn ich 100 Jahre alt werden **sollte,** das werde ich nie vergessen. たとえ百歳まで生きようと，それを私は忘れないだろう．

e. wollen

1) 主語の意思「…するつもりである，…したい」: Ich **will** ihn morgen besuchen. 私は彼を明日訪ねるつもりだ．| Er **wollte** ihr helfen, aber sie **wollte** es nicht. 彼は彼女を助けてやろうと思ったが，彼女はそれを望まなかった．

   ◆ 接続法 II wollte の形で，現在の意思を控え目に表わすこともある(ほとんど möchte と同じ): Ich **wollte,** er ließe mich endlich in Ruhe. もういい加減に邪魔しないでもらいたいものだ．

2) 促し「…しよう」(複数1人称で): Es ist schon spät. Wir **wollen** langsam gehen! もう遅い．そろそろ行きましょう．| **Wollen** wir eine Tasse Kaffee trinken? コーヒーを一杯飲みましょうか？

3) 命令(2人称で): **Willst** du endlich still sein! いい加減に静かにしなさい．| **Wollen** Sie bitte zahlen? お支払いいただけますか？

4) 「まさに…しようとする」: Gerade als er einschlafen **wollte,** klingelte das Telefon. 彼が眠りに落ちようとしていたとき，電話が鳴った．

5) 気配「いまにも…しそうである」；(否定で)「どうしても…しようとしない」(人間以外を主語として): Das Wetter **will** sich ändern. 天気が変わりそうだ．| Der Motor **wollte** nicht anspringen. エンジンがどうしてもかかろうとしなかった．

6) 主張「…と言い張る」(主に完了不定詞と): Er **will** das Geld nicht gestohlen haben. 彼はその金を盗まなかったと主張している．

7) 「…のふりをする」: Ich rief ihm laut zu, aber er **wollte** mich nicht hören. 私は彼に大声で呼びかけたが，彼は聞こえないふりをした．

8) 「…すべきである，…しなければならない」などの意味で(人間以外を主語として): Der Aufsatz **will** (=soll) nur einen kleinen Überblick geben. この論文は事柄を簡単に概観するだけのものである．| Diese Pflanzen **wollen** (= müssen) viel gegossen werden. これらの植物には水をたくさんやらなければならない．

動　詞

f. mögen

1) 現在の願望「…したい」(接続法 II möchte の形で): Ich **möchte** gern ins Kino gehen. 私は映画を見に行きたい. | **Möchtest** du Klavier spielen lernen? 君はピアノを習いたいのですか? | Das **möchte** ich lieber vermeiden. できればそれは避けたいのですが.
   - 否定文では直説法も用いられる: Ich **mag** ⟨**möchte**⟩ *nicht* länger warten. 私はこれ以上待ちたくない.
   - 過去における願望「…したかった」は wollte で表現する.
2) 好み「…が好きである」(否定文または疑問文で): Sie **mag** nicht mit dem Flugzeug fliegen. 彼女は飛行機に乗るのは嫌いだ.
3) 推量「…だろう」: Du **magst** Recht haben. 君の言うとおりかもしれない. | Wann **mag** das gewesen sein? それはいつのことだったのか? | Sie **mochte** damals etwa 18 sein. 彼女は当時18歳ぐらいだったのだろう.
4) 認容「…するならするがいい; たとえ…でも」(認容文は続く主文の語順に影響を与えないことが多い): Er **mag** ruhig kommen, ich fürchte ihn nicht. 彼が来るなら来ればいいさ, 彼なんか怖くないさ. | Was er auch sagen **mag**, ich glaube ihm nicht. 彼が何を言おうと, 私は信じない.
   - mögen が文頭に置かれることも多い: **Mag** er tun, was er will. 彼は好きなようにするがいい.
5) 願望・祈願「…であるように」(多くは接続法 I で): **Möge** der Herr ihm helfen! 主が彼を助けたまわんことを. | **Mögest** du so jung und schön bleiben! 君がいつまでも若く美しくあるように.
6) 命令文を間接話法に改めて. (63頁)
7) 単独での用法.
(a) 「…が好きである」(直説法で): Ich **mag** keinen Fisch. 私は魚がきらいだ. | Diesen Lehrer **mochten** alle. みんなこの先生が好きだった.
(b) 「…がほしい」(接続法 II möchte の形で): **Möchten** Sie noch ein Stück Kuchen? もうひとつケーキをいかがですか?

7. 話法の助動詞に準ずる動詞

zu のない不定詞と結び, 完了時称の過去分詞が不定詞と同形という点で, 話法の助動詞に準ずる動詞がある.

使役動詞	lassen …させる(および「…させる」の意味で用いられる heißen, machen)
知覚動詞	sehen 見る, hören 聞く, finden 見出す, fühlen 感じる, 等.

その他 helfen 手伝う, lehren 教える, lernen 習う
- ♦ また，ときとして: brauchen「…することを必要とする」

a. lassen

助動詞として用いられる lassen は zu のない不定詞と結び，過去分詞は不定詞と同形になる.

1) 「…させる，…してもらう」: Ich **lasse** den Kellner ein Glas Wein *bringen*. 私はボーイにワインを1杯持って来させる. (同じ意味で, Ich lasse vom Kellner… も多く用いられる) | Wo **hast** du dir die Haare *schneiden* **lassen**? 君はどこの理髪店へ行ったのか? (←君はどこで君の髪の毛を切ってもらったのか?) | **Lassen** Sie mich jetzt *gehen*! もう私を行かせてください.

- ♦ 「…しよう」の意味で Lass uns …!, Lasst uns …!, Lassen Sie uns …! (=英: Let us …) が用いられることがある: (du に対して) **Lass uns** jetzt *aufbrechen*! さあ出発しよう.

2) 「…するがままにしておく」: Ich **ließ** ihn ruhig *weitererzählen*. 私は彼に勝手にしゃべらせておいた.

3) 「…をやめる」: **Lass** das! やめろ. | Er kann das Rauchen nicht **lassen**. 彼はたばこをやめられない.

4) lassen+sich+他動詞〈自動詞〉の不定詞. (88頁)

b. 知覚動詞 sehen, hören など

1) 他の不定詞と結ぶときは zu を伴わない:
Ich **sehe** ihn *kommen*. 彼の来るのが見える.
Im Radio **hörte** ich einen Sänger deutsche Lieder *singen*. ラジオで歌手がドイツ歌曲を歌っているのを聞いた.
Er **fühlte** sein Herz vor Freude *schlagen*. 彼は喜びのあまり心臓の高鳴るのを感じた.

2) 完了時称における過去分詞は必ずしも不定詞と同形になるとは限らない:
Ich **habe** ihn *kommen* **sehen**.
Ich **habe** einen Sänger deutsche Lieder *singen* **gehört**〈**hören**〉.
Er **hat** sein Herz vor Freude *schlagen* **gefühlt**〈**fühlen**〉.

- ♦ sehen の過去分詞はほとんど常に不定詞と同形になるが，その他の動詞では今日では両形とも用いられる.

c. helfen, lehren, lernen

1) 他の不定詞と結ぶときは zu を伴わない:

動　詞

　Ich **helfe** ihr *waschen*. 私は彼女が洗濯するのを手伝う.
　Er **lehrt** mich *schreiben*. 彼は私に書き方を教える.
　◆　不定詞が目的語などを伴って不定詞句となる場合は，zu を伴うこともある：
　　{Ich **helfe** ihm das Auto *waschen*.
　　 Ich **helfe** ihm, das Auto *zu waschen*.
　　私は彼が洗車するのを手伝う.
2)　完了時称における過去分詞は必ずしも不定詞と同形になるとは限らない：
　Ich **habe** ihm das Auto *waschen* **helfen**〈**geholfen**〉. 私は彼が洗車するのを手伝った.
　Er **hat** mich *schreiben* **gelehrt**〈稀：**lehren**〉. 彼は私に書き方を教えてくれた.
　Ich **habe** Deutsch *sprechen* **gelernt**. 私はドイツ語を話すことを学んだ.
　◆　helfen の過去分詞は両形ともに用いられ，lehren は gelehrt となることが多く，lernen はほとんど常に gelernt となる.

d.　brauchen

1)　他の不定詞と結ぶときは zu を伴うのがふつうである(51頁). しかし今日では zu を伴わない形も見られる：
　Du **brauchst** nicht mehr [*zu*] *kommen*. 君はもう来なくていい.
　Du **brauchst** nur [*zu*] *klingeln*, ich bin gleich da. 君はベルを鳴らしさえすればいいのです. 私はすぐ参ります.
2)　完了時称における過去分詞には不定詞と同形の brauchen を用いる：
　Du **hast** nicht mehr [*zu*] *kommen* **brauchen**. 君はもう来なくてもよかったのだ.

e.　未来完了および副文内での完了時称の語順.

過去分詞が不定詞と同形の場合と，通常の過去分詞を用いた場合の語順の差：
1)　未来完了：
　{Er wird mich **haben** *singen* **hören**. （この形は実際には稀）
　 Er wird mich *singen* **gehört haben**.
　　彼は私が歌うのを聞いてしまっているだろう〈聞いたであろう〉.
2)　副文内での完了時称：
　{Ich weiß nicht, ob er mich **hat** *singen* **hören**. （35頁）
　 Ich weiß nicht, ob er mich *singen* **gehört hat**.
　　私が歌うのを彼が聞いたかどうか，私は知らない.

I. 受　動

日本語の「…される」に相当する表現形式を《受動》という．

1. 受動の現在人称変化 (werden の現在人称変化＋……過去分詞)

ich werde ⎱	wir werden ⎱	
du wirst ⎬ ……gelobt	ihr werdet ⎬ ……gelobt	ほめられる
er wird ⎰	sie werden ⎰	

2. 受動の六時称

現　　在	ich werde …… gelobt
過　　去	ich wurde …… gelobt
現在完了	ich bin　　…… gelobt worden
過去完了	ich war　　…… gelobt worden
未　　来	ich werde …… gelobt werden
未来完了	ich werde …… gelobt worden sein

◆　受動の助動詞 werden の過去分詞は **worden**，完了時称の助動詞は sein である：

Das Kind **ist** gelobt **worden**.　その子供はほめられた．
《参照》 Er **ist** aber groß **geworden**!　彼も大きくなったね．

3. 能動文と受動文の対応

能動文と受動文の各文成分を対置させると次のようになる．

	能動文		受動文
1)	4格目的語	↔	主語
2)	主語	↔	von＋3格 / durch＋4格
3)	他動詞	↔	werden……過去分詞
4)	他の文成分	↔	そのまま

◆　ドイツ語では4格目的語をとる動詞を《他動詞》，4格以外の目的語をとるか又は全く目的語をとらない動詞を《自動詞》と呼ぶ (25頁)．

動　詞

能動：　Die Polizei　**verhaftete**　den Dieb　auf frischer Tat.

受動：　Der Dieb　**wurde**　von der Polizei　auf frischer Tat **verhaftet**.

（能動：警察は泥棒を現行犯で逮捕した.）
（受動：泥棒は警察に現行犯で逮捕された.）

a. 受動文は出来事をその行為者（動作主）に視点をおかずに述べる表現なので，行為者（動作主）は文中に現われないことが多い.

Der Dieb **wurde** auf frischer Tat **verhaftet**. 泥棒は現行犯で逮捕された.

b. 能動文の主語が man の場合は，これに対応する語は受動文には現われない.
Auch in Österreich **spricht** *man* Deutsch. オーストリアでもドイツ語を話す.
Auch in Österreich **wird** Deutsch **gesprochen**. オーストリアでもドイツ語が話される.

c. 行為者（動作主）を表現するときは，**von**＋**3格**，または **durch**＋**4格**を用いる. 基本的には **von** は「行為の主体，出来事の原因」，**durch** は「媒体，手段」を表わすが，現代語ではその区別はあまり明瞭でない：Der Junge **ist** *von* einem Hund **gebissen worden**. 少年は犬に噛まれた. | Der Kranke **ist** *durch* eine geschickte Operation **gerettet worden**. その病人はたくみな手術によって救われた. | Diese Straßen **wurden** *von* dem Regen 〈*durch* den Regen〉 **überschwemmt**. 道路は雨で水浸しになった. | Das Schiff **wurde** *von* einem feindlichen Flugzeug *durch* Bomben* **versenkt**. その船は敵機に爆弾で撃沈された.

◆ ＊ mit Bomben も可.「媒体，手段」は mit＋3格で表わされることもある.

d. 能動文に 4 格目的語が二つある場合は，受動文ではともに 1 格となる.
Man **nennt** ihn einen Lügner. 人は彼を嘘つきと呼ぶ.
Er **wird** ein Lügner **genannt**. 彼は嘘つきと呼ばれる.
Wir **betrachten** ihn als einen erfahrenen Lehrer. 我々は彼を経験豊かな教師とみなす.
Er **wird** als ein erfahrener Lehrer **betrachtet**. 彼は経験豊かな教師とみなされている.

e. 能動文の 3 格目的語（間接目的語）を受動文の主語とすることはできない. この点，英語と異なるので注意を要する.

Mein Vater gab mir die Kamera. 父が私にカメラをくれた.
　　　→　Die Kamera wurde mir von meinem Vater gegeben.
　　　→˟ Ich wurde die Kamera von meinem Vater gegeben.

(英語)　My father gave me the camera.
　　　→ The camera was given [to] me by my father.
　　　→ I was given the camera by my father.

4.　話法の助動詞を含む受動文

現　　在	Der Kranke muss	operiert werden.	その病人は手術されなけ
過　　去	Der Kranke musste	operiert werden.	ればならない.
現在完了	Der Kranke hat	operiert werden müssen.	
過去完了	Der Kranke hatte	operiert werden müssen.	
未　　来	Der Kranke wird	operiert werden müssen.	
未来完了	なし		

5.　自動詞の受動

　自動詞も受動文を作ることがある．自動詞による能動文には4格目的語がないので，受動文に改める場合，主語となるべき語がない．そのため主語のない文となるか，あるいは es を形式上の主語として文頭に立てる．定動詞は単数3人称となる．

a.　適当な文成分を文頭におき，主語のない文になる：Bei uns **wird** auch samstags **gearbeitet**. (← Bei uns **arbeitet** *man* auch samstags.) 我々のところでは土曜日にも仕事をする．| Auf die Frage **wird** [von mir] nicht **geantwortet**. (← Auf die Frage **antworte** *ich* nicht.) その質問には答えられない．

b.　文頭におくべき文成分がないときには，es を形式上の主語として文頭におく：*Es* **wurde gelacht** und **getanzt**. (← *Man* **lachte** und **tanzte**.) 笑ったり踊ったりした．
　　◆　適当な文成分があっても es を文頭におくことがあるが，よい文体ではない：*Es* **wird** sonntags nicht **gearbeitet**. → Sonntags **wird** nicht **gearbeitet**. 日曜日には働かない．

6.　状態受動

　werden を助動詞とする受動が動作(「…される」)を表わすのに対して，**sein を助動詞とする受動は状態**(「…されてある」)を表わす．
　⎰Das Geschäft **wird** um 18 Uhr **geschlossen**. その店は18時に閉められる.
　⎱Das Geschäft **ist** seit drei Tagen **geschlossen**. その店は3日前から閉っている.
　Das Feld **war** mit Schnee **bedeckt**. 野原は雪におおわれていた.

動　詞

- ♦ 助動詞に werden を用いるか sein を用いるか，明瞭でない場合もある: Die Stadt **wird** ⟨**ist**⟩ durch den Fluss **geteilt**. その町は川によって二つに分けられている．| Die Straße **wird** ⟨**ist**⟩ nicht beleuchtet. その道路は照明されていない．

7. 受動文の用法

受動文は次のような場合に好んで用いられる．

a. 行為者(動作主)を明示できない・明示する必要がない・明示したくない場合: Das Kind **ist entführt worden**. 子供が誘拐された．| Goethe **wurde** 1749 in Frankfurt **geboren**. ゲーテは1749年にフランクフルトに生まれた．| Die Gäste **werden gebeten**, in diesem Raum das Rauchen zu unterstellen. ここでは喫煙なさらないようお客様方にお願いします．

b. 自然科学・技術関係のテキスト，機械・薬品などの使用説明書，その他の指示，規則等で: Im Deutschen **werden** alle Substantive groß **geschrieben**. ドイツ語では名詞はすべて大文字書きされる．| Tiere dürfen nicht **mitgebracht werden**. 動物を連れて来てはいけません．

c. 特に自動詞の受動文が命令的表現として用いられることがある: Jetzt **wird geschlafen**! もう寝なさい．| Hier **wird** nicht **geraucht**! ここは禁煙です．

8. 受動文を作れない動詞

意味によって受動文を作ることのできない動詞もある．次のような文から受動文を作ることはできない．

Er **hat** ⟨**besitzt**⟩ eine Villa. 彼は邸宅を所有している．| Es **gibt** in diesem Dorf keinen Bahnhof. この村には駅がない．| Das **bedeutet** gar nichts. それはなんの意味もない．| Den Mann **kenne** ich. あの男を私は知っている．

9. その他の受動的表現

a. sein+zu 不定詞．(52頁)
b. 再帰代名詞を用いて．(88頁)
c. bleiben ⟨stehen⟩+過去分詞．(48頁)
d. haben ⟨bekommen/erhalten⟩+4格目的語+過去分詞．(48頁)

J. 分 詞

分詞には《**現在分詞**》と《**過去分詞**》がある．

1. 現在分詞
a. 《**不定詞＋d**》で表わす．（英語の《**原形＋ing**》に相当）

reisen	旅行する → reisen**d**	例外：
lächeln	ほほえむ → lächeln**d**	sein（英：*be*）→ sei**end**
anschließen	接続する → anschließen**d**	tun（英：*do*）→ tu**end**

行為・状態が能動的に継続中・未完了であることを表わす．
1) 名詞への付加語として：das **kochende** Wasser 煮立っているお湯 | die **blühenden** Bäume 花の咲いている樹々．
2) 副詞として：**kochend** heißes Wasser 煮えたぎっている熱湯 | Sie kam **tanzend** herein. 彼女は踊りながら入って来た．
3) 述語内容語として．ドイツ語には進行形が存在しないので，《**sein＋現在分詞**》が用いられるのは，完全に形容詞化したものに限られる(48頁，49頁)：Das Mädchen ist **reizend**.その少女は魅力的だ．| Das Problem ist **brennend**.この問題は急を要する．
    ◆ したがって ˣDas Wasser ist kochend. という形はなく，このような場合は現在形を用いて，Das Wasser **kocht**. となる．
4) 名詞化して(116-117頁)：Die **Reisenden** werden gebeten, ihre Plätze einzunehmen. 乗客の皆様は席にお着きください．

b. zu＋現在分詞．（いわゆる《**未来分詞**》）
「…されうる，…されるべき」の意味を表わす．これは《**sein＋zu 不定詞**》(52頁)を付加語的に用いたものと考えられる．
 das leicht **zu lesende** Buch 読みやすい（← 容易に読まれうる）本（← Das Buch **ist** leicht **zu lesen**.）| die nicht **zu lösende** Aufgabe 解けない（← 解かれえない）問題（← Die Aufgabe **ist** nicht **zu lösen**.）

2. 過去分詞
a. 形態．(19-22頁)
b. 過去分詞の用法．
1) haben または sein と結んで完了形を作る．(24-28頁)

動　詞

2) werden または sein と結んで受動を作る. (43-46 頁)
3) 名詞への付加語として. ふつう行為の完了を表わす. 他動詞の場合は受動の意味(「…された」)を, sein と結ぶ自動詞の場合は能動の意味(「…した」)を表わす.

♦ haben と結ぶ自動詞の過去分詞が, 形容詞として用いられるのは稀.

他動詞： füllen　　　満たす　→ ein **gefülltes** Fass 満たされた**樽**
　　　　 teilen　　　　分割する → ein **geteiltes** Land 分割された国
自動詞： vergehen　　過ぎ去る → das **vergangene** Jahr　去年
　　　　 ankommen 到着する → die **angekommenen** Gäste 到着した客たち

♦ 継続的行為を表わす他動詞の過去分詞は, 現在の受動の状態(「…されている」)を表わす:

lieben 愛する → Hamburg ist meine **geliebte** Heimatstadt. ハンブルクはわが愛する(愛されている)故郷の町である.

pflegen 手入れをする → ein gut **gepflegter** Garten 手入れのゆきとどいた(よく手入れされている)庭

4) 副詞として： Eine **ausgesprochen** schöne Dame 正真正銘の美女 | Sie schüttelte **verzweifelt** den Kopf. 彼女は絶望して首を振った. | Der Lehrer verließ **gekränkt** das Klassenzimmer. 教師は気分を害して教室から出て行った.

5) kommen + **運動を表わす自動詞の過去分詞**で「…しながら来る」: Ein Mann kommt **gelaufen**. 一人の男が走って来る. | Da kam ein Vogel **angeflogen**. そこに1羽の鳥が飛んで来た.

6) **bleiben ⟨liegen/sitzen/stehen⟩ + 過去分詞**で(状態受動の一変形): Die Läden **bleiben** heute **geschlossen**. 商店は今日は閉まったままである. | In der Bibel **steht geschrieben**, du sollst deinen Nächsten lieben. 聖書には, 汝の隣人を愛せよと書かれている.

7) **haben ⟨bekommen/erhalten⟩+4格目的語+過去分詞**で「…してもらう」: Ich möchte *die Haare* ganz kurz **geschnitten haben ⟨bekommen⟩**. 私は髪をごく短く切ってもらいたい. | Ich **habe** *diese Kamera* von meinem Onkel **geschenkt bekommen**. 私はこのカメラを叔父からプレゼントされた.

8) 述語内容語として. 現在分詞の場合と同じく, 完全に形容詞化したものに限られる(47 頁, 49 頁): Sind Sie ledig oder **verheiratet**？—Ich bin **geschieden**. あなたは独身ですか, 結婚していますか？—私は離婚しています. | Der Film war **ausgezeichnet**. その映画はすばらしかった.

9) 名詞化して (116-117 頁): Der Rettungswagen brachte die **Verletzten** ins Krankenhaus. 救急車が怪我人たちを病院へ運んだ.

♦ もとの動詞との関連が薄れてしまったものも少なくない:
der ⟨die⟩ **Bekannte** 知人 | der ⟨die⟩ **Verwandte** 親戚

10) 命令を表わす: Rauchen **verboten**! 禁煙. | **Stillgestanden!** 気をつけ.
11) (診などで)主語および述語内容語として: Dreimal **umgezogen** ist einmal **abgebrannt**. 三度の引越は一度の火事に匹敵する. | Schlecht **gefahren** ist besser als gut **gegangen**. 車がなかなか進まなくても歩くよりはまし.

3. 分詞形容詞

分詞のなかで,述語内容語となったり,比較変化をしたり,またもとの動詞との意味のつながりが薄れたものは,純粋の形容詞とみなされ,《分詞形容詞》と呼ばれる.さらには,もとの動詞が消滅したり,意味が変わったものも少なくない:

(現在分詞:) anwesend その場にいる　bedeutend 重要な　dringend 緊急の
(過去分詞:) beliebt 好まれている　　gelassen 落着いた　geschickt 器用な

♦ 比較変化

	原級	比較級	最上級
(現在分詞:)	reizend 魅力的な	— reizender	— reizendst
(過去分詞:)	erfahren 経験ある	— erfahrener	— erfahrenst

4. 分詞句

分詞は他の文成分とともに《分詞句》を作ることができる.

a. 名詞への付加語として(いわゆる《冠飾句》).
die *noch Laub* **tragenden** Bäume まだ葉のついている樹
Das *mit einem Substantiv* **verbundene** Adjektiv erhält eine Endung. 名詞と結ばれた形容詞は語尾をもつ.

b. 分詞構文(分詞句が副文と同じ働きをする場合を分詞構文と呼ぶ).
Die Skier auf der Schulter **tragend**, kamen sie aus der Hütte. スキーをかついで,彼らは山小屋から出てきた.
Der Mann, *ins Hotel* **zurückgekehrt**, packte gleich die Koffer. ホテルへ戻って来たその男は,すぐにトランクの荷造りをした.
Offen **gestanden**, ich kann ihn nicht leiden. 正直言って,私は彼が嫌いだ.

動　詞

K. 不定詞

動詞の原形を《**不定詞**》という．不定詞には，《**zu のない不定詞**》と《**zu 不定詞**》(zu のついた不定詞)がある．

1. 不定詞の種類とその形態

a. zu のない不定詞．

	haben と結ぶ動詞：	sein と結ぶ動詞：
不　定　詞 「…すること」	lernen	kommen
完了不定詞 「…したこと」	gelernt haben	gekommen sein
受動不定詞 「…されること」	gelernt werden	
受動完了不定詞 「…されたこと」	gelernt worden sein	

b. zu 不定詞．

	haben と結ぶ動詞：	sein と結ぶ動詞：
不　定　詞 「…すること」	**zu** lernen	**zu** kommen
完了不定詞 「…したこと」	gelernt **zu** haben	gekommen **zu** sein
受動不定詞 「…されること」	gelernt **zu** werden	
受動完了不定詞 「…されたこと」	gelernt worden **zu** sein	

◆　分離動詞の zu 不定詞は，前綴りと基礎動詞のあいだに zu が入り，一語で書かれる：an**zu**kommen, **zu**zumachen.

2. 不定詞の用法

a.　zu のない不定詞の用法
1) werden とともに，未来および未来完了を作る．(24-25 頁)
2) 話法の助動詞およびそれに準ずる動詞とともに．(34-42 頁)

3) **gehen 〈kommen/bleiben〉＋不定詞**で「…しに行く，…しに来る，…したままである」などを表わす：Ich **gehe** jetzt **einkaufen** 〈**schwimmen**〉. これから買物に〈泳ぎに〉行くところだ. | **Bleiben** Sie doch bitte **sitzen**, Herr Schmidt! どうぞお掛けになったままでいらしてください，シュミットさん.

4) **haben＋不定詞**：Du **hast** gut **reden**. 君は何とでも言えるさ. | Ich **habe** viel Wein im Keller **liegen**. 地下室にはたくさんのワインが寝かせてある.

5) 主語，述語内容語として(諺などに多い)：**Irren** ist menschlich. 過ちは人の常. | **Vater werden** ist nicht schwer, **Vater sein** dagegen sehr. 父になるのはたやすいが，父であることはたいへんだ. | Das heißt **Gott versuchen**. それは神を試みることである.

6) 命令を表わす：Bitte schnell **einsteigen**! 急いで御乗車ください.

b. zu 不定詞の用法

1) 主語および述語内容語として(形式上の主語として es を先行させることが多い)：Viel **zu rauchen** ist nicht gut für die Gesundheit. (= *Es* ist nicht gut für die Gesundheit, viel **zu rauchen**.) たくさんたばこを吸うことは健康によくない. | Sein Wunsch war, die Kinder studieren **zu lassen**. 彼の望みは，子供たちを大学へ行かせることだった.

2) 目的語として. 4格目的語のときは es を，前置詞つき目的語のときは da[r]-＋前置詞を先行させる：Ich habe **es** schon aufgegeben, ihn **zu überreden**. 彼を説き伏せることを，私はもう諦めた. | Ich freue mich **darauf**, in den Ferien an die See **zu fahren**. 私は休みに海辺へ行くことを楽しみにしている.

◆ es または da[r]-＋前置詞は，動詞によっては省略されることがある：Er hat [es] vergessen, mich **anzurufen**. 彼は私に電話をすることを忘れてしまった. | Ich bitte Sie [darum], das Buch sofort **zurückzugeben**. その本をただちに御返却くださるよう，お願いいたします.

◆ 動詞によっては，es または da[r]-＋前置詞を用いない：Er weigerte sich, Soldat **zu werden**. 彼は兵隊になることを拒否した.

3) **brauchen＋zu 不定詞**「…を必要とする」(おおむね否定詞とともに「…する必要はない」)(42頁), **scheinen＋zu 不定詞**「…のように思われる」, **wissen＋zu 不定詞**「…する術(ﾘ)を心得ている」, **pflegen＋zu 不定詞**「…するのが常である」, **vermögen＋zu 不定詞**「…できる」：Ab morgen **brauchst** du *nicht mehr* **zu kommen**. 君は明日からもう来なくてもいい. | Er **scheint** die Verabredung **vergessen zu haben**. 彼は約束を忘れたようだ.

4) **haben＋zu 不定詞**「…しなければならない」：Du **hast zu gehorchen**. 君は従わなければいけない. | Wir **haben** noch eine Stunde **zu fahren**. 我々はまだ1

時間行かねばならない.
5) **sein + zu 不定詞**「…されうる, …されなければならない」(受動的表現): **Ist** Herr Müller **zu sprechen**? ミュラーさんとお話できるでしょうか？| Es **ist** ihm nicht mehr **zu helfen**. あいつはもう救いようがない. | Die Miete **ist** jeweils im voraus **zu zahlen**. 家賃は毎回先払いしていただかなければなりません.
6) 形容詞の補足語として: Wir sind **bereit**, in dieser Angelegenheit mit ihm **zu sprechen**. 我々はこの件で彼と話し合う用意がある. | Er ist nicht einmal **fähig**, das einfachste Problem **zu lösen**. 彼はきわめて単純な問題を解くこともできない.
7) **um … zu 不定詞**:
(a) 目的を表わして.「…するために」: Er ging nach Bonn, **um** Chemie **zu studieren**. 彼は化学を勉強するためにボンへ行った.
(b) 結果を表わして: Er zog ins Feld, **um** nach 3 Monaten **zu fallen**. 彼は戦場に赴き, 3か月後に戦死した.
(c) **zu + 形容詞〈副詞〉, um … zu 不定詞**「あまりに…なので…できない」: Das ist **zu** schön, **um** wahr **zu sein**. それはあまりすばらしすぎて, とても本当とは思えない.
(d) **genug, um … zu 不定詞**「…するのに足りるだけ…である」: Sie hat **genug** Geld, **um** eine Reise nach Deutschland **zu machen**. 彼女はドイツへ旅行するに足りるだけのお金を持っている.
(e) 独立的用法. 但し書き・断り書きなどに用いられて: **Um** die Wahrheit **zu sagen**, er ist nicht mein eigenes Kind. 本当のことを言えば, 彼は私の実の子ではない.
   ◆ um が省略される場合がある: Er wählte eine neue Methode, [**um**] die Frage **zu lösen**. 彼はその問題を解くために, 新しい方法を選んだ.
8) **ohne … zu 不定詞**:
(a) 「…することなしに」: Sie leben zusammen, **ohne** verheiratet **zu sein**. 彼らは結婚していないが, いっしょに暮らしている.
(b) 「…ではないが」(独立的用法): **Ohne** gerade reich **zu sein**, hatte er doch ein auskömmliches Vermögen zu erwarten. (H. Hesse) 金持というほどではないにしても, 彼はかなりの財産をもらうことになっていた.
9) **[an]statt … zu 不定詞**「…するかわりに」: Er rief mich an, **statt** mir **zu schreiben**. 彼は私に手紙をよこすかわりに, 電話をかけてきた.
10) 付加語として:
(a) 名詞への付加語として: Haben Sie *Lust*, mit mir **spazieren zu gehen**? あなたは私と散歩をする気がおありですか？| Ich bin leider nicht *in der Lage*, dir

zu helfen. 私は残念ながら，君を援助できる状況にはない．
(b) etwas ⟨viel/wenig⟩+zu 不定詞：Heute habe ich schrecklich *viel* **zu tun**. きょう私はものすごく忙しい． | Ich habe Ihnen dringend *etwas* **mitzuteilen**. 私はあなたに緊急にお伝えすることがある．
- ◆ 51頁 b.4) との差は必ずしも明らかでないことが多い．たとえば上の例文は「私はあなたに緊急にあることをお伝えしなければなりません」と解することもできる．

11) dass で導かれる副文が zu 不定詞[句]に置き換えられることがある．
(a) 主文の主語と副文の主語が同一の場合：Ich hoffe, dass *ich* morgen abfahren kann. → Ich hoffe, morgen abfahren **zu können**. 私は明日出発できると思う．(*Ich hoffe*, dass *er* morgen abfahren kann. 彼は明日出発できると私は思う．これを Ich hoffe, morgen abfahren zu können. とはできない)
(b) 副文の主語が主文の目的語と同一の場合（誤解を招くおそれのない場合にかぎる）：Der Vater rät *ihr* ab, dass *sie* so einen Mann heiratet. → Der Vater rät ihr ab, so einen Mann **zu heiraten**. 父親は彼女に，あんな男と結婚するのはやめろと忠告する．(Ich schlage *Ihnen* vor, dass *Ihr Sohn* morgen abreist. 私はあなたに，あなたの息子さんが明日出発することを提案する．これを Ich schlage Ihnen vor, morgen abzureisen. とはできない) | Ich bitte *Sie*, dass *Sie* mir bald schreiben. → Ich bitte Sie, mir bald **zu schreiben**. 私はあなたに，あなたが私にまもなくお手紙をくださるようお願いいたします．

12) 不定詞が他の文成分と zu 不定詞句を作る場合には，原則としてコンマで区切られる．また zu 不定詞[句]を2個以上並列するときは，zu は必ず反復される：Es ist verboten, hier **zu rauchen** und **zu trinken**. ここでは喫煙と飲酒は禁じられている．

3. 不定詞の名詞化

不定詞は頭文字を大文字書きして中性名詞(-s/複数ナシ)とすることができる．ふつう動作名詞として「…すること」を表わす．

Er übte mit den Kindern [**das**] **Rechnen**. 彼は子供たちに計算の練習をさせた． | Sie war gerade beim **Kochen**. 彼女は料理の最中であった． | Packen Sie die Pizza zum **Mitnehmen** ein! このピザを持ち帰り用に包んでください．

- ◆ 名詞化が進んで，動作ばかりでなく，物・事柄などを表わすようになったものも多い：das Essen 食べ物, das Andenken 記念品, das Schreiben 手紙, 文書, 等．

動　詞

L. 命令法

懇願・要請・依頼・命令などを表わすには，du, ihr に対しては《**命令法**》が，Sie に対しては《**接続法 I**》が用いられる．

1. 命令法　不定詞の語幹に次の語尾をつけて作る．

不定詞 —en	du に対して —! / —e!	ihr に対して —[e]t!	Sie に対して —en Sie!
sagen　言う waschen　洗う antworten　答える	Sag! / Sage! Wasch! / Wasche! Antworte!	Sagt! Wascht! Antwortet!	Sagen Sie! Waschen Sie! Antworten Sie!

sein, werden の命令法

sein　…である werden　…になる	Sei! Werde!	Seid! Werdet!	Seien Sie! Werden Sie!

♦　ihr に対する命令法は直説法現在の ihr を主語とする人称変化形と同形である．Sie に対しては，接続法 I による要求話法 (58-59 頁) を用い，Seien Sie! 以外は直説法現在形と同形である．

a. du に対する命令法についての注意．

1) 日常語では —! の形が多く用いられ，—e! の形は文語・雅語に多い．語幹が -d, -t, -ig に終るものや，その他若干のもの (15 頁) は —e! となる：Rede! 話せ．Entschuldige! ごめん．Rechne! 計算せよ．Öffne! 開け．

2) -eln, -ern に終る動詞は，語幹の e が落ちることが多い．-eln の場合はこの e のない形がふつうである (16 頁)：sammeln 集める → Sammle!; ändern 変更する → Ändere! / Ändre!

3) 強変化動詞のうち，単数 2・3 人称で**幹母音が e → i/ie となるもの** (17 頁) は，**命令法でも変音し，語尾 -e はつけない**．(a → ä 型は命令法では変音しない)

不定詞	sprechen 話す	essen 食べる	lesen 読む	nehmen 取る
命令法	**Sprich!**	**Iss!**	**Lies!**	**Nimm!**

♦　sehen の命令法はふつう Sieh! であるが，「…を参照せよ」の意味のときは Siehe! となる．

命 令 法

b. 命令法を用いた命令文では，定動詞を文頭に置き，ふつう文末に感嘆符(!)をつける．主語は特にそれを強調したいとき以外は言わない．Sie に対する命令文では，接続法 I を文頭に，主語 Sie を必ずその次に置く．

1) **du に対して：** **Sag** das noch einmal!　もう一度言ってください．
   Fahr doch nicht so schnell!　そんなにスピードを出さないで．
   Antworte zuerst auf meine Frage!　まず私の質問に答えなさい．
   Sprich lauter!　もっと大きな声で話しなさい．
   Nimm noch ein Stück Kuchen!　ケーキをもう一切れお取りなさい．
   Sei mir doch nicht böse!　私に怒らないで．

2) **ihr に対して：** **Sagt** das noch einmal!
   Fahrt doch nicht so schnell!
   Antwortet zuerst auf meine Frage!
   Sprecht lauter!
   Nehmt noch ein Stück Kuchen!
   Seid mir doch nicht böse!

3) **Sie に対して：** **Sagen Sie** das noch einmal!
   Fahren Sie doch nicht so schnell!
   Antworten Sie zuerst auf meine Frage!
   Sprechen Sie lauter!
   Nehmen Sie noch ein Stück Kuchen!
   Seien Sie mir doch nicht böse !

2. 複数 1 人称 wir に対する促し「…しよう」の表現

1) 接続法 I を用いて：**Gehen** wir! 行こう．| **Seien** wir gute Freunde! 私たちはよき友だちでいよう．
2) 話法の助動詞 wollen を用いて．(39 頁)
3) lassen を用いて．(41 頁)

3. その他の命令的表現

1) 直説法現在で．(27 頁)
2) 未来形で．(28 頁)
3) 受動で．(46 頁)
4) 過去分詞を用いて．(49 頁)
5) 不定詞を用いて．(51 頁)

動　詞

M.　接続法

　ドイツ語には《直説法》(例: Er kommt.), 《命令法》(例: Komm!; Kommt!), 《接続法》という三つの《法》(Modus)がある．直説法は事柄を客観的に述べるものであり，命令法は2人称に向かって懇願・命令などを述べるもの(54頁)である．《**接続法**》は，事柄を話者の心の中にある想念(考えられること，ありうること，あってほしいと望むこと等)として，主観的に述べるものである．接続法には，《**接続法 I**》と《**接続法 II**》の二形態がある(⇨ 補遺 152 頁).

1.　接続法の形態
a.　接続法 I.　　不定詞の語幹に次の語尾をつける．(sein のみ例外)

不定詞		**lernen**	**sprechen**	**haben**	**werden**	**sein**
ich	—e	lerne	spreche	habe	werde	sei
du	—est	lernest	sprechest	habest	werdest	sei[e]st
er	—e	lerne	spreche	habe	werde	sei
wir	—en	lernen	sprechen	haben	werden	seien
ihr	—et	lernet	sprechet	habet	werdet	seiet
sie	—en	lernen	sprechen	haben	werden	seien

♦　上記のように，接続法 I はきわめて規則的な変化をする．語尾に -e が含まれるのが特色であるが，tun および -eln, -ern に終るものは，単数 1・3 人称以外では語尾の -e が落ちる(du lächelst...)のが普通である．

b.　接続法 II.　　直説法過去基本形(19-20頁)に接続法 I の場合とまったく同形の語尾をつける．不規則変化動詞では変音できる幹母音は変音する．

不定詞		lernen	sprechen	haben	werden	sein
過去基本形		**lernte**	**sprach**	**hatte**	**wurde**	**war**
ich	¨e	lernte	spräche	hätte	würde	wäre
du	¨est	lerntest	sprächest	hättest	würdest	wärest
er	¨e	lernte	spräche	hätte	würde	wäre
wir	¨en	lernten	sprächen	hätten	würden	wären
ihr	¨et	lerntet	sprächet	hättet	würdet	wäret
sie	¨en	lernten	sprächen	hätten	würden	wären

(a)　過去基本形が -e に終っている場合，さらに -e をつけることはしない．弱変化(規則変化)動詞の場合は，直説法過去形とまったく同形になる．

(b) 話法の助動詞 sollen, wollen の幹母音は変音せず，直説法過去形とまったく同形になる．
(c) 強変化動詞の幹母音については次のような例外がある：

      （過去基本形） 接続法 II
stehen 立っている (stand) → stünde または stände
sterben 死ぬ   (starb) → stürbe
beginnen 始める (begann) → begänne, まれに begönne

（詳しくは巻末の「不規則変化動詞表」を参照のこと）
(d) 混合変化動詞 (20 頁) のうち，brennen, kennen, nennen, rennen, senden, wenden の接続法 II の幹母音は -e- である：
brennen 燃える (brannte) → brennte
kennen 知っている (kannte) → kennte
(e) 弱変化動詞 brauchen の接続法 II は brauchte であるが，南ドイツでは bräuchte も用いられる．

c.　«würde ... 不定詞» による接続法 II の書き換え．

接続法 II の書き換えとして «würde... 不定詞» の形がある．この形は今日ますます広く用いられる傾向にあり，特に次のような場合には多用されている．

1) 接続法 II の形が直説法過去形と同形の場合：
wir lernten 〈riefen〉 → wir würden ... lernen 〈rufen〉

2) 接続法 II の音が直説法現在形と類似する場合：
ich sähe (直説法: sehe) → ich würde ... sehen
ich läse (直説法: lese) → ich würde ... lesen

3) 多くの不規則変化動詞の接続法 II は古風ないし不自然に感じられて：
ich schwömme 〈gewönne/rennte〉
→ ich würde ... schwimmen 〈gewinnen/rennen〉

 ◆ sein, haben, werden および話法の助動詞の場合は «würde...不定詞» による書き換えはあまり用いられない．

4) 過去時称における未来・推量：

Unter gar keinen Umständen **würde** ich **aufgeben**, so viel stand fest. 絶対に私はあきらめないぞ，それは確かであった．| Sie starrte den Mann lange an, aber der sagte nichts mehr und **würde** nie mehr etwas **sagen**. 彼女はその男を長い間みつめていた．しかしその男はもう何も言わなかったし，もう何も言わないだろう．| Ich versuchte mir vorzustellen, wie es jetzt in Deutschland **sein würde**. ドイツでは今ごろどうなっているだろうと私は思い描こうとした．

動　詞

2. 接続法の時称

直　説　法	時称		接続法 I	接続法 II
er lernt er kommt	現在	現在	er **lerne** er **komme**	er **lernte** er **käme**
er lernte er kam	過去	*過去	er **habe** … gelernt	er **hätte** … gelernt
er hat … gelernt er ist … gekommen	現在完了			
er hatte … gelernt er war … gekommen	過去完了		er **sei** … gekommen	er **wäre** … gekommen
er wird … lernen er wird … kommen	未来	未来	er **werde** … lernen er **werde** … kommen	er **würde** … lernen** er **würde** … kommen**
er wird … 　　gelernt haben er wird … 　　gekommen sein	未来完了	未来完了	er **werde** … 　　gelernt haben er **werde** … 　　gekommen sein	er **würde** … 　　gelernt haben er **würde** … 　　gekommen sein

◆　直説法の過去・現在完了・過去完了にあたるものは，接続法ではすべて上表の＊の形になる．haben か sein かについては 25 頁参照．** の形は 57 頁で述べた ≪würde... 不定詞≫ の書き換えと同形になる．

3. 接続法の用法

接続法 I は「事実との隔たりが小さい」あるいは「実現の可能性の大きい」事柄を， **接続法 II** は「事実との隔たりが大きい」あるいは「実現の可能性の小さい」(または「まったくない」)事柄を表わすのが原則である．

接続法の形態と用法の関係を簡単に図示すれば，右のようになる．

　　接続法 I ⟶ 要求話法
　　　　　　 ↗ 間接話法
　　接続法 II ⟶ 非現実話法

a. 要求話法――接続法 I――

実現の可能性があると思われる ≪要求・願望・認容≫ などを表わす．定動詞を文頭におくこともある．現代語では Sie, wir に対する要求を除けば，慣用的用

法以外にはあまり用いられない.
1) **要求**:
   Man **nehme** täglich eine Tablette.　一日1錠服用のこと.（薬の注意書きで）
   Die Strecke AB **sei** 6 cm.　線分 AB の長さは6センチとする.（数学の課題などで）
   Nehmen Sie bitte Platz!　どうぞお掛けください.（54頁）
   Lernen wir Deutsch!　ドイツ語を学ぼう.
2) **願望・祈願**（40頁）:
   Hoch **lebe** die Freiheit! / Es **lebe** die Freiheit!　自由ばんざい.
   Möge er bald gesund werden!　彼がまもなく健康になりますように.
3) **認容**（認容文は，次の主文の語順に影響を与えないことが多い）（40頁）:
   Was er *auch* **sage** 〈sagen **möge**〉, niemand glaubt ihm.　彼が何と言おうとも，誰も信じない.
   Was *auch* immer **komme** 〈kommen **möge**〉, ich führe den Plan durch.　何が起ころうとも，私はこの計画を遂行する.
4) **目的を表わす副文で**（今日では直説法を用いることが多い）:
   Die Mutter schickte dem Sohn Geld, damit er eine neue Kamera **kaufe** 〈kauft〉.　母親は息子に，新しいカメラを買うようにと，金を送った.
5) **熟語的表現**:
   Gott sei Dank!　ああ，よかった.（＜神に感謝あれ）
   Er kommt nicht mit, **es sei denn**, dass du dich bei ihm entschuldigst.　彼は来ないよ，君が彼にあやまれば別だが.（いわゆる《除外文》）
   Das Prinzip ist das Gleiche, **sei es** in der Luft, **sei es** im Wasser.　空中であれ，水中であれ，原理は同じだ.
6) als ob... の副文には接続法 II を用いるが，接続法 I のこともある（60頁）:
   Er tat so, **als ob** er **schlafe** 〈schliefe〉.　彼は眠ったふりをしていた.

b.　非現実話法――接続法 II――

事実に反する事柄，考えられるだけで実現不可能な事柄を表わす.

1) **実現不可能な，実現の可能性の少ない仮定とその帰結**:
   現在: *Wenn* ich jetzt Zeit **hätte**, **ginge** ich in die Oper.
   　　　 Wenn ich jetzt Zeit **hätte**, **würde** ich in die Oper **gehen**.
   　　　 いま時間があれば，オペラに行くんだが.
   ◆ 現在・未来に関する仮定と推量では，実現が十分可能と思えるときでも接続法 II が用いられる: Wenn du am Nachmittag Zeit **hättest**, **könnten** wir Tennis **spielen**.　午後君に時間があればテニスができるんだが.

動　詞

 過去：*Wenn* ich damals Zeit **gehabt hätte**, **wäre** ich in die Oper **gegangen**.
  あのとき時間があったならば，オペラに行ったでしょうが．
(a) wenn を省略し，定動詞を文頭におく形もある：
 現在：**Hätte** ich jetzt Zeit, **ginge** ich in die Oper.
 過去：**Hätte** ich damals Zeit **gehabt**, **wäre** ich in die Oper **gegangen**.
(b) wenn に導かれる仮定文はなくても，句や前後関係などによって仮定が表現されていることも多い：
 Bei schönem Wetter **wäre** ich nicht zu Haus **geblieben**.　天気がよかったら私は家にいなかっただろうに．
 Ein Deutscher **würde** das nicht **sagen**.　ドイツ人ならそうは言うまい．
(c) beinahe, fast, um ein Haar「すんでのところで」などとともに：
 Ich **wäre fast** ⟨**beinahe/um ein Haar**⟩ ertrunken.　危うく溺れるところだった．
2) **実現不可能な願望**（wenn に導かれる仮定文を用いて，あるいは定動詞を文頭において．強調の doch, nur などが添えられることが多い）：
 Wenn mein Vater *noch* **lebte**!　父がまだ生きていればなあ．
 Hätten Sie mir das *doch*⟨*nur*⟩ gleich **gesagt**!　それをすぐに私に言ってくれればよかったのに．
3) **als ob ... /als wenn ...**「まるで…のように」の副文で：
 Er gab sein Geld aus, **als ob** er Millionär **wäre**.　彼はまるで大金持であるかのように，金を使った．
 Er tat so, **als ob** er mich nicht **sähe**.　彼は私の姿が目に入らないかのようなふりをした．
 Er tat so, **als ob** er mich nie **gesehen hätte**.　彼はまるで私に一度も会ったことがないかのようなふりをした．
(a) **als ob の ob, als wenn の wenn は省略されることが多い**．この場合，省略された ob/wenn の位置に定動詞がおかれる：
 Er tat so, **als sähe** er mich nicht.
 Er tat so, **als hätte** er mich nie **gesehen**.
(b) 副文 als [ob]... の定動詞には接続法 I が用いられることもある：
 Ich komme mir vor, **als ob** ich wieder jung **wäre**⟨**sei**⟩．私は若返ったような気がする．
4) **事実に反する，または実現の可能性の少ない事柄の認容**（auch wenn / wenn auch / und wenn / selbst wenn などの形で）(39頁)：
 Und wenn er mir 1000 Euro **gäbe** ⟨geben **sollte**⟩, ich **würde** das nicht **tun**.　たとえ彼が私に1000ユーロくれるとしても，私はそんなことはしないだろう．
  ♦　上例のように認容文は，次に続く主文の配語に影響を与えないことが多い

が，主文の定動詞が主文の文頭に来る場合もある：
Und wenn er …, **würde** ich das nicht tun.
♦ 事実の，または実現の可能性の多い認容については 59 頁.

5) 外交的接続法：
事実ではあるが，相手の気持をおもんぱかって，あたかもそれが非現実であるかのように柔らかに，丁寧に表現する場合.

(a) 控え目な意見の表明：
Ich **möchte** gern ein Glas Bier [**haben**]. ビールを1杯くださいませんか.
Ich **hätte** gern ein Kilo Kartoffeln. じゃがいもを1キロほしいのですが.
Das **wäre** das Beste. それが一番いいでしょうね.
Könnte ich vielleicht ein Einzelzimmer mit Bad **haben**? バスつきのシングル・ルームはありませんか？
Ich **würde sagen***, es handelt sich um ein ökonomisches Problem. それは経済上の問題ではないでしょうか.

♦ * sagen のように弱変化動詞の場合は，必ず《würde...不定詞》の形で.

(b) 丁寧な依頼：
Könnten Sie mir bitte **sagen**, wo der Bus abfährt？ バスはどこから出るか教えていただけませんか？
Wären Sie so freundlich, mir den Zucker zu reichen？ すみませんが，その砂糖を取っていただけますか？
Wenn Sie bitte das Formular **ausfüllen würden**. この用紙に記入していただけますか.

(c) 済んでしまったことに対する愚痴・非難：
Aber Sie **hätten** es mir doch wenigstens **sagen können**. でも，お話だけでも聞かせてくださってもよかったのに.
Er **hätte** gleich zum Arzt **gehen sollen**. 彼はすぐ医者へ行くべきだったのだ.

6) 喜び・安堵（「やれやれ，これで…というわけか」）：
Das **hätten** wir *endlich* **überstanden**! やれやれやっとこれで済んだか.
Nun, wir **wären** endlich am Ziel! やれやれ，やっと目的地についたぞ.

7) 否定に影響された接続法　副文の内容が結論的には事実に反する場合，しばしば接続法 II が用いられる：
Ich kenne *keinen* Menschen, den ich lieber **hätte** als dich. 私は君より好きな人間を知らない.
Er sprach *allzu* schnell, *als dass* ich ihn **hätte** verstehen können. 彼はあまり早口すぎて，私には彼の言うことが聞き取れなかった.
Nicht, dass ich **wüsste**. 私は存じません.

動　詞

c. 間接話法

　人の言説を引用するには，引用符をつけてそのまま引用する《**直接話法**》と，引用符なしで間接に引用する《**間接話法**》がある．間接話法では接続法 I を用い，それが直説法と同形のときは接続法 II が用いられる．ただし今日，話し言葉では接続法 II，あるいは直説法が多く用いられるようになっている．

1)　直接話法と間接話法の対応：

直接話法	間接話法
Er sagte:	Er sagte,
,,Ich lerne Deutsch."（現在）	*er* **lerne** Deutsch.
彼は「私はドイツ語を習っている」と言った．	
,,Ich lernte Deutsch."（過去） ,,Ich habe Deutsch gelernt."（現在完了） ,,Ich hatte Deutsch gelernt."（過去完了）	*er* **habe** Deutsch **gelernt**.
彼は「私はドイツ語を習った」と言った．	
,,Ich werde Deutsch lernen."（未来）	*er* **werde** Deutsch **lernen**.
彼は「私はドイツ語を習うだろう」と言った．	
,,Ich werde Deutsch gelernt haben." （未来完了）	*er* **werde** Deutsch **gelernt haben**.
彼は「私はドイツ語を習ってしまっているだろう」と言った．	

(a) 間接引用文には主文の形と，接続詞 dass を用いた副文の形がある：
　Er sagte, *er* **lerne** Deutsch. ＝ Er sagte, **dass** *er* Deutsch **lerne**.

(b) 間接話法では，人称代名詞を引用者の視点へ移行させる．英語では時・所の状況語も必ず転換させるが，ドイツ語では転換させないことが多い：
　Er sagte: ,,Ich komme morgen zu dir." 彼は「明日君のところへ行くよ」と言った．→ Er sagte, *er* **komme** morgen ⟨am Tag darauf⟩ *zu mir*.

(c) 誤解を招くおそれのある場合には，代名詞の代わりに名詞を用いる：
　Hans sagt: ,,**Ich** war bei **meinem** Onkel. **Er** hatte **mich** eingeladen, weil **er** seinen Geburtstag mit **mir** feiern wollte." ハンスは言う．「僕はおじさんの家へ行った．彼は僕といっしょに自分の誕生日を祝うために，僕を招待してくれたのだ」．→ Hans sagt, **er** sei bei **seinem** Onkel gewesen．**Sein Onkel** habe **ihn** eingeladen, weil **er** mit **Hans** seinen Geburtstag feiern wollte.

(d) 英語と異なり，主文と間接引用文とのあいだに時の一致はない．

(e) 接続法 I が直説法と同形になる場合は，接続法 II が用いられる：
   Sie schrieb mir: „Meine Eltern **kommen** bald zu mir." 彼女は私に「私の両親がまもなく私のところへ来る」と書いてきた． → Sie schrieb mir, ihre Eltern **kämen** bald zu ihr. (接続法 I の kommen では直説法と同形)
(f) 直説話法のなかの接続法は，間接話法でもそのままである：
   Sie schrieb mir: „Ich **möchte** bald zu Dir kommen." → Sie schrieb mir, sie **möchte** bald zu mir kommen.
(g) **疑問文の間接話法**．疑問詞のある疑問文(補足疑問文)では，疑問詞を従属の接続詞に転用して副文を作り，疑問詞のない疑問文(決定疑問文)では，従属の接続詞 ob を用いて副文を作る：
   Sie fragte ihn: „Was isst du gern?" 彼女は彼に「何を食べたいの?」と尋ねた． → Sie fragte ihn, **was** *er* gern **esse**.
   Er fragte mich: „Ist das wahr?" 彼は私に「それ，ほんとかい?」と尋ねた． → Er fragte mich, **ob** das wahr **sei**.
(h) **命令文の間接話法**．命令・要望には sollen の接続法 I を，依頼・懇願の気持の強いときは mögen の接続法 I を用いる：
   Er befahl mir: „Geh sofort hinaus!" 彼は私に「すぐに出て行け」と命じた． → Er befahl mir, ich **solle** sofort hinausgehen.
   Sie bat mich: „Bitte warten Sie einen Moment!" 「少々お待ちください」と彼女は私に頼んだ． → Sie bat mich, ich **möge** einen Moment warten.

2) 間接話法における接続法・直説法の使い分け：現代ドイツ語では間接話法に接続法 I，接続法 II，直説法のいずれもが用いられ，その使い分けに明確な規則はないが，およそ次のような傾向が認められる．
(a) 話し言葉では，むしろ直説法または接続法 II が多い．
(b) 書き言葉ではほぼ上述の原則が保持されているとはいえ，次のような動詞以外はしだいに接続法 II (または直説法)が用いられることが多くなりつつある：
   i) **sein の単数，複数 1・3 人称：** sei, seien.
   ii) **話法の助動詞や wissen の単数 1・3 人称：** könne, müsse, wisse, 等.
   iii) **その他の動詞の単数 3 人称：** er trinke, sie gehe, 等.
(c) 主文の定動詞が現在形のときは，多く直説法が用いられる：
   Er sagt: „Ich bin krank." 彼は「僕は病気だ」と言っている． → Er sagt, er **ist** krank.
(d) 接続詞 dass を用いた間接引用文では，多く直説法が用いられる．直説法を用いた場合は時を一致させるのが普通である：
   Er sagte: „Ich lerne Deutsch." → Er sagte, **dass** er Deutsch **lernte**.

II. 冠　詞

冠詞は名詞の前におかれ，名詞の性・数・格によって変化する．冠詞には《定冠詞》と**《不定冠詞》**がある．

A. 定冠詞

1. 定冠詞の変化

	単　　　数			複　数
	男性 (*m.*)	女性 (*f.*)	中性 (*n.*)	各性共通
1 格	**der**	**die**	**das**	**die**
2 格	**des**	**der**	**des**	**der**
3 格	**dem**	**der**	**dem**	**den**
4 格	**den**	**die**	**das**	**die**

2. 定冠詞の用法

原則として特定のものを表わす．(「あの…，その…，例の…」など)

1) 既知のもの・特定のもの：**Das** Buch habe ich schon gelesen. その本はもう読んだ．| Ich habe ihn in **der** Universität kennen gelernt. 私は彼と大学で知り合った．
2) 既に言及されたものに再び触れる場合：Dort steht *ein* Auto. **Das** Auto gehört meiner Cousine. あそこに車がある．あの車は私の従姉妹のだ．
3) 一つしか存在しないもの：**die** Welt 世界，**die** Sonne 太陽，**der** Himmel 天，**das** Paradies パラダイス．
4) 付加語によって規定された名詞：**der** *schöne* Palast あの美しい宮殿，**das** Haus *meines Freundes* 私の友人の家．
5) 形容詞の最上級を伴う名詞：**die** *schönste* Stadt der Welt 世界でいちばん美しい町．
6) 序数 (名詞は省略されることがある)：**die** *neunte* Sinfonie von Beethoven ベートーヴェンの第九交響曲，**der** *Zweite* Weltkrieg 第二次世界大戦，**der 4.** (vierte) Mai 5月4日．
7) 種属や一般概念を表わす：**Der** Wal ist ein Säugetier. 鯨は哺乳類である．
8) 本来無冠詞で用いられる名詞でも，性・数・格を明らかにする必要のあると

き：Er zieht Kaffee [dem] Tee vor. 彼は紅茶よりコーヒーを好む.
9) 固有名詞はふつう無冠詞で用いられるが，次の場合は定冠詞をつける.
(a) 男性・女性・複数の国名・地名(国名・地名はふつう中性. 70頁)：**der** Irak イラク, **der** Iran イラン; **die** Schweiz スイス, **die** Slowakei スロヴァキア, **die** Türkei トルコ; (複数) **die** Niederlande オランダ, **die** USA (=die Vereinigten Staaten von Amerika) アメリカ合衆国.
(b) 山・河・海・湖の名前：**der** Brocken ブロッケン山, **die** Alpen (複数) アルプス, **der** Rhein ライン河, **die** Donau ドーナウ河, **das** Mittelmeer 地中海, **der** Bodensee ボーデン湖.
(c) 付加語形容詞がついた場合：**der** *junge* Mozart 若きモーツァルト.
(d) 人名が普通名詞化したとき：**die** Xanthippe der Gegenwart 現代のクサンティペ(悪妻. ← ソクラテスの妻).
(e) 南ドイツでは人名に定冠詞をつけることが多い：**der** Georg vom Nachbardorf 隣村のゲオルク.
10) 抽象名詞はふつう定冠詞をつける：**Der** Tod schreckte ihn nicht. 彼は死を恐れなかった.
◆ 無冠詞の場合もある：Ich habe Hunger. 私は空腹だ.
◆ 付加語を伴うと不定冠詞をつけることもある：Sie hatte **eine** *bewundernswerte* Geduld. 彼女は驚嘆すべき忍耐力をもっていた.

B. 不定冠詞

1. 不定冠詞の変化

	単 数			複 数
	男性 (*m.*)	女性 (*f.*)	中性 (*n.*)	各性共通
1 格	ein	eine	ein	
2 格	eines	einer	eines	ナ
3 格	einem	einer	einem	シ
4 格	einen	eine	ein	

2. 不定冠詞の用法

原則として，数えられる名詞につき，多数のもののうち任意の一つを表わす.
(「ひとつの…, ある…」など)
1) 初出の語：Dort steht **ein** Auto. Das Auto gehört mir. (64頁)

冠　詞

2) 種属や一般概念を表わす代表単数(「…というものはどれでも」の意から)：**Ein** Mensch hat zwei Arme und zwei Beine. 人間は2本の腕と2本の脚がある．| **Ein** Haus kostet viel Geld. 家というものは高いものだ．| **Ein** Lehrer muss das wissen. 教師たるものはそれを知っていなくてはならぬ．

3) 数の概念をもたない名詞(抽象名詞・物質名詞・固有名詞)につけて普通名詞化する：Sie ist **eine** Schönheit. (←[die] Schönheit 美)彼女は美人だ．| Er ist **ein** Mozart. 彼はモーツァルトのような音楽の天才だ．| Noch **ein** Bier bitte! (←Bier ビール)ビールをもう1杯ください．

C.　冠詞なしで用いられる場合

1) 職業・身分・国籍などを表わす名詞が述語内容語として用いられるとき：Er ist Arzt 〈Student/Japaner〉. 彼は医師〈大学生/日本人〉だ．
   - ◆ 不定冠詞をつけると，その職業の属性を強調することになる：Er ist *ein Diplomat*. 彼は(外交官のように)駆け引きのうまい男だ．
   - ◆ 付加語があると，不定冠詞または定冠詞をつける：Er ist **ein** *erfahrener* Arzt. 彼は経験豊かな医者だ．| Sie ist **die** Sekretärin *unserer Abteilung*. 彼女はうちの課の秘書です．
   - ◆ 呼びかけでは付加語がついても無冠詞：*Lieber* Hans! 親愛なるハンス君．| *Liebe* Kolleginnen und Kollegen! 親愛なる同僚のみなさん．
2) 種属や一般概念を表わす(通常複数形で)：**Autos** sind Verkehrsmittel. 自動車は交通機関である．
3) **Es ist** …/**Es wird** … の構文で四季名・月名・曜日名などを言うとき：*Es ist* Frühling. 春だ．| *Es wird* Abend. 晩になる．
4) 固有名詞：Hans wohnt in Bonn. ハンスはボンに住んでいる．
5) Vater, Mutter, Großvater, Großmutter が家庭内で名前の代わりに用いられるとき．キリスト教の Gott も同様：Ist Vater da? お父さんはいる？| Gott behüte euch! 神がなんじらを守り給わんことを．
6) 物質名詞：Ich trinke gern Bier. 私はビールが好きだ．
7) 単数なら不定冠詞をつけるはずの名詞が複数形になったとき：Dort stehen Autos. (←Dort steht *ein* Auto. 65頁)
8) 熟語・慣用句・諺などで：mit Mann und Maus (人もねずみも →) 一人残らず | von Haus zu Haus 家から家へ | nach Haus[e] gehen 帰宅する | zu Abend essen 夕食をとる | Hilfe leisten 援助する | Abschied nehmen 別れを告げる | Eile mit Weile! 急がば回れ．
9) 挨拶・間投詞として用いられた名詞：Guten Morgen! おはよう．| Fröhliche

Weihnachten! クリスマスおめでとう. | Ruhe! 静かに. | Feuer! 火事だ.

10) 同格の名詞, als で結ばれる場合: Herr Meyer, Direktor unserer Schule 本校の校長, マイヤー氏 | *Als* Schauspieler ist er begabt. 俳優としては彼には天分がある.

11) 2格の付加語が先行するとき: *Goethes* Werke (← Die Werke Goethes) ゲーテの作品.

12) 副詞的4格: Nächstes Jahr 〈Mitte Juli〉 fahre ich nach Paris. 来年〈7月半ばに〉私はパリへ行く.

D. 前置詞と定冠詞の融合形

> **am** (< an dem)　　**ans** (< an das)　　aufs (< auf das)　　außerm (< außer dem)　　**beim** (< bei dem)　　durchs (< durch das) fürs (< für das)　　hinterm (< hinter dem)　　hintern (< hinter den) hinters (< hinter das)　　**im** (< in dem)　　**ins** (< in das)　　überm (< über dem)　　übern (< über den)　　übers (< über das) ums (< um das)　　unterm (< unter dem)　　untern (< unter den) unters (< unter das)　　**vom** (< von dem)　　vorm (< vor dem) vors (< vor das)　　**zum** (< zu dem)　　**zur** (< zu der)

♦ 太字体のものが特によく用いられる.

特に指示力が強いときは融合形は用いられない.

Ich gehe **ins** Kino. 私は映画を見に行く.
(Ich gehe **in das** Kino. 私はその映画館へ行く.)

Am Wochenende arbeiten wir nicht. 週末には我々は働かない.
(**An dem** Wochenende kam sie zu mir. その週末に彼女は私のところへ来た.)

E. 否定冠詞 kein

不定冠詞 ein の否定形. 所有代名詞 mein と同じ変化 («mein 型変化») をする (90頁). 用法については151頁参照.

III. 名　詞

ドイツ語の名詞には，《性》の別があり，原則として《単数・複数》をもち，《格》によって変化する．名詞は頭文字を大文字書きにする．

A. 名詞の性

名詞はすべて**男性** (*m.*), **女性** (*f.*), **中性** (*n.*) のいずれかの性をもち，その前におかれる冠詞などは名詞の性に対応した形をとる．性別は文法上の性であり，自然の性とは必ずしも一致しない．個々の名詞の性は辞書で確認する必要がある．

男性名詞	女性名詞	中性名詞
der Vater　父	die Mutter　母	das Kind　子供
der Tisch　机	die Tür　ドア	das Fenster　窓

1.　男性名詞の例

1)　**自然の性と一致するもの**（対応する女性名詞があるもの．69頁）: Mann 男,夫, Vater 父, Sohn 息子, Onkel 伯父, 叔父, Bruder 兄, 弟, Hahn 雄鶏, Stier 雄牛.

2)　**四季名, 月名, 曜日名:** Frühling 春, Sommer 夏, Herbst 秋, Winter 冬; Januar 1月, Februar 2月, März 3月, April 4月, Mai 5月, Juni 6月, Juli 7月, August 8月, September 9月, Oktober 10月, November 11月, Dezember 12月; Sonntag 日曜日, Montag 月曜日, Dienstag 火曜日, Mittwoch 水曜日, Donnerstag 木曜日, Freitag 金曜日, Samstag (南ドイツで)/Sonnabend (北ドイツで) 土曜日.

　◆　**der** Tag 日, **der** Monat (暦の)月; ただし **die** Woche 週, **das** Jahr 年.

3)　**方位, 気象:** Norden 北, Osten 東, Süden 南, Westen 西; Regen 雨, Schnee 雪, Hagel あられ, Nebel 霧, Blitz 稲妻, Donner 雷.

4)　**動詞の語幹による名詞の大部分:**（不定詞の語幹）Gewinn 利益, Schlaf 睡眠;（過去の語幹）Klang 響き;（過去分詞の語幹）Gang 廊下, Sprung 跳躍;（その他）Fluss 川, Schluss 結末, Zug 列車.

5)　**-er, -ler, -ner で終る人を表わす名詞:** Lehrer 教師, Schüler 生徒, Japaner 日本人, Musiker 音楽家; Künstler 芸術家, Wissenschaftler 学者; Redner 講演者, Gärtner 造園師.

　◆　これに対する女性形には語尾 -in をつける．(69頁)

名詞の性

6) **-en** で終る大部分の名詞：Boden 土地, Garten 庭, Wagen 自動車, 車.
 ◆ 例外：縮小辞 -chen に終る名詞，名詞化された不定詞は中性.
7) **-ling** で終る名詞：Flüchtling 難民, Säugling 乳児, Schmetterling 蝶.
8) **-ismus** で終る名詞：Idealismus 理想主義, Kapitalismus 資本主義.

2. 女性名詞の例

1) **自然の性と一致するもの** (68 頁)：Frau 女, 妻, Mutter 母, Tochter 娘, Tante 伯母, 叔母, Schwester 姉, 妹, Henne 雌鶏, Kuh 雌牛.
2) **-in で終る人・動物を表わす名詞**：Königin (< König) 女王, Lehrerin (< Lehrer) 女教師, Japanerin (< Japaner) 日本女性, Ärztin (< Arzt) 女医, Studentin (< Student) 女子大生, Verkäuferin (< Verkäufer) 女店員, Löwin (< Löwe) 雌のライオン.
3) **樹木や花を表わす大部分の名詞**：Tanne もみ, Kiefer 松, Pappel ポプラ；Rose ばら, Nelke カーネーション, Lilie ゆり.
 ◆ 例外：Tannenbaum のように -baum で終るものは男性.
4) **-e で終る大部分の名詞**：Liebe 愛, Schlange 蛇, Straße 通り, Tasse 茶碗.
 ◆ 例外：いわゆる男性弱変化名詞(74頁)，および **der** Käse チーズ, **das** Ende 終り, **das** Auge 目, 等.
5) **-ei, -heit, -keit, -schaft, -ung** で終る名詞：Malerei 絵画, Schönheit 美, Krankheit 病気, Menschlichkeit 人間性, Freundschaft 友情, Bildung 教養.
6) **-ik, -ion, -tät, -ur** に終る外来名詞：Musik 音楽, Grammatik 文法, Diskussion 討論, Universität [総合]大学, Natur 自然, Kultur 文化.
 ◆ 例外：**das** Abitur 高校終了試験, 等.
7) **船の名称・航空機の機種名**：die Bremen ブレーメン号, die Bismarck (戦艦)ビスマルク；die Boeing ボーイング, die Concorde コンコルド.

3. 中性名詞の例

1) **人間・動物の子供**：Baby 赤ん坊, Kind 子供, Kalb 子牛, Lamm 子羊.
2) **金属・元素名**：Gold 金, Silber 銀, Eisen 鉄, Helium ヘリウム.
 ◆ 例外：**der** Wasserstoff など -stoff に終る男性名詞や **der** Stahl 鋼鉄；**die** Bronze 青銅.
3) **名詞化された不定詞**(53 頁 3.)：Essen 食事, Leben 生命, 生活.
4) **他の品詞がそのままの形で名詞として用いられた場合**：Grün 緑.
5) **Ge—e の形の集合名詞**：Gebirge 山脈, Gedränge 雑踏, Gemälde 絵画.
 ◆ 例外：**der** Gedanke 思想, **die** Gebärde 身ぶり, 等.

名　　詞

6) **縮小辞 -chen, -lein に終る名詞**: Mädchen 少女, Märchen 童話, Fräulein お嬢さん，…嬢（英語 Miss）, Büchlein 小冊子.
7) **-ment, -um に終る名詞**: Element 要素, Experiment 実験; Datum 日付.
8) **-tum に終る名詞**: Altertum 古代, Eigentum 財産, Bürgertum 市民精神.
   ♦ 例外: **der** Reichtum 富, **der** Irrtum 誤り（の二語は男性）.
9) 地名はふつう中性で無冠詞で用いられる: Afrika アフリカ, Europa ヨーロッパ, Japan 日本, Berlin ベルリーン．（例外については 65 頁）
   ♦ 山・山脈名には男性が多い: **der** Brocken ブロッケン山, **der** Montblanc モンブラン; **der** Harz ハールツ山地, **der** Himalaja ヒマラヤ.
   《例外》 **die** Zugspitze ツークシュピッツェ; **die** Alpen（複数）アルプス.
   ♦ 河川名は男性または女性のいずれかである: **der** Rhein ライン河, **der** Main マイン河; **die** Donau ドーナウ河, **die** Elbe エルベ河.

4. 合成名詞の性　　基礎語（最後の名詞）の性に従う．

der Handschuh	手袋	(die Hand 手 + **der** Schuh 靴)
die Handtasche	ハンドバッグ	(die Hand 手 + **die** Tasche かばん)
das Handtuch	タオル	(die Hand 手 + **das** Tuch 布)

5. 意味によって性の異なる名詞

⎰der Band （本の）巻 ⎱das Band ひも	⎰der Erbe 相続人 ⎱das Erbe 遺産	⎰der Hut 帽子 ⎱die Hut 保護	⎰der Leiter 指導者 ⎱die Leiter はしご
⎰der Messer 計器 ⎱das Messer ナイフ	⎰der Schild 楯 ⎱das Schild 看板	⎰der See 湖 ⎱die See 海	⎰die Steuer 税金 ⎱das Steuer 舵

6. 性に関するその他の注意

a. 男性名詞が男女の別なく代表として用いられることがある．

Frau X wurde zum **Minister** für Bildung und Wissenschaft ernannt. X 夫人が文教大臣に任命された．
Monika, du bist heute mein *Gast*. モニカ，今日は君は客だよ（私がおごる）．

b. 動物の雌雄．
1) ふつうは雌雄両性を含む文法上の性が与えられている:
   der Hund 犬, der Fisch 魚, der Vogel 鳥, der Hase 兎.
   die Fliege はえ，die Maus ねずみ，die Taube 鳩.
   das Schaf 羊, das Pferd 馬, das Schwein 豚.

2) 種属名のほかに雌雄それぞれを表わす語をもつもの：
  das Huhn 鶏 — **der** Hahn 雄鶏, **die** Henne 雌鶏
  das Rind 牛 — **der** Stier 雄牛, **die** Kuh 雌牛

3) 種属名が同時に雌を表わす語を兼ねるもの：
  die Katze ［雌］猫 — **der** Kater 雄猫
  die Gans ［雌］がちょう — **der** Gänserich 雄のがちょう

c. -chen, -lein に終るために自然の性と矛盾するもの．
  das Mädchen 少女, **das** Fräulein お嬢さん，…嬢．

d. その他，自然の性と矛盾するもの．
  das Weib 《古》女, **die** Wache 見張り，守衛．

B. 名詞の数

名詞には《**単数**》と《**複数**》がある．複数形には語尾によって，次の五つの型がある．

	幹母音 a, o, u, au の変音の有無	単数1格形		複数1格形	
無語尾型	変音しない 変音する	der Onkel die Mutter	おじ 母	— ⸚	die Onkel die Mütter
E 型	変音しない 変音する	das Jahr der Arzt	年 医師	—e ⸚e	die Jahre die Ärzte
ER 型	変音する	das Haus	家	⸚er	die Häuser
[E]N 型	変音しない	das Auge die Frau	目 女	—n —en	die Augen die Frauen
S 型	変音しない	das Auto	自動車	—s	die Autos

◆ それぞれの名詞がどの型に属するかは辞書で確認すること．ただし以下のように，語形から判断できるものも若干ある．

1) 必ず無語尾型に属する名詞：
(a) -chen, -lein に終る中性名詞：Mädchen 少女, Büchlein 小冊子．
(b) 女性名詞では Mutter 母, Tochter 娘（の二語のみ．変音する）．

名　詞

2) 必ず **E** 型に属する名詞：
(a) -ling に終る男性名詞：Jüngling 青年, Säugling 乳児, Feigling 臆病者.
(b) -nis に終る中性名詞・女性名詞（複数は s を重ねて -nisse となる）：**das Erlebnis** 体験；**die Erlaubnis** 許可, die Kenntnis 知識.

3) 必ず **ER** 型に属する名詞：
-tum に終る中性名詞・男性名詞（複数は -tümer となる）(70 頁)：das Heiligtum 聖物, der Reichtum 富.
 ◆ この型に属する女性名詞は一語もない.

4) 必ず [E]N 型に属する名詞：
(a) -e, -ei, -heit, -keit, -schaft, -ung に終る女性名詞：Katze 猫, Straße 街路, Plauderei おしゃべり, Krankheit 病気, Möglichkeit 可能性, Freundschaft 友情, Zeitung 新聞.
(b) 人・動物を表わす -in に終る女性名詞（複数は n を重ねて -innen となる）：Schauspielerin 女優, Freundin 女友だち.
(c) -e に終る男性名詞（弱変化. 74 頁）：Junge 少年, Kunde 顧客, Kollege 同僚, Hase 兎, Franzose フランス人, Pädagoge 教育者.
 ◆ Käse のみ無語尾型.
(d) -ent, -ist（弱変化. 74 頁); -or に終る外来男性名詞：Student 大学生, Patient 患者, Pianist ピアニスト, Polizist 警察官; Doktor ドクトル, Professor 教授, Autor 著者.
 ◆ -or に終るものは複数形でアクセントの位置が移動し, かつ長音となる：Doktor ['dɔktər] — Doktoren [dɔk'to:rən]

5) **S** 型に属する名詞：
主に英語などから入った新しい外来語：der Park 公園, der Chef チーフ；die Kamera カメラ, die Bar 酒場；das Baby 赤ん坊, das Hotel ホテル.

1. 古典語系外来語の複数形

das Museum 博物館 → die Museen
das Material 資料　→ die Materialien
das Lexikon 辞典　→ die Lexika, Lexiken
das Thema　テーマ → die Themen, Themata
 ◆ 特殊な形になるものが多いので, 辞書で確認すること.

2. 単数形は同じだが, 意味によって複数形の異なるもの

die Bank ｛die Bänke ベンチ / die Banken 銀行｝　　das Wort ｛die Wörter 単語 / die Worte 言葉｝

名詞の数

3. 合成名詞の変化　　基礎語(最後の名詞)の形に従う．(70頁)
　das Handtuch タオル (← Hand *f.* -/⸚e + Tuch *n.* -[e]s/⸚er)
　→ (単数2格:) des Hand**tuch**[**e**]**s**
　→ (複数1格:) die Hand**tü**cher

4.　その他特殊な複数形をもつもの
　der Saal → die Säle　広間
　der Bau → die Bauten　建物

5.　単数・複数についての注意

a.　単数．
1)　数を問題にしないで表現するとき：
(a)　種属や一般概念を表わす：Der Wal ist **ein** Säugetier. 鯨は哺乳類である．
(b)　熟語で(特に身体の部分を表わす名詞が多い)：Er hat **ein gutes Auge**. 彼は目がいい．
(c)　「各人それぞれ…」という意味で：Alle hoben **die Hand**. 全員が挙手した．
(d)　単位や量を示す名詞：**10 Pfund** Kartoffeln じゃがいも10ポンド(5キロ) | Das Päckchen wiegt **500 Gramm**. この小包は500グラムある．
　◆　普通名詞が単位として使われたとき，男性・中性の名詞はふつう単数で，-e に終る女性名詞は必ず複数形となる：3 **Glas** Bier ビール3杯 | 2 **Tassen** Kaffee コーヒー2杯．

2)　ふつう単数だけが用いられる名詞：
(a)　物質名詞：Milch ミルク, Eisen 鉄, Fleisch 肉, Butter バター．
　◆　種類や特定の物など，数えられるものを表わす場合には複数も用いられる：trockene Weine (各種の)辛口ワイン．
(b)　抽象名詞：[die] Freiheit 自由, [die] Jugend 青春．
　◆　数えられるものの意味で用いられた場合には複数形も用いられる：
　die Dummheit 愚かさ → eine Dummheit, [die] Dummheiten 愚行
　die Schönheit 美 → eine Schönheit, [die] Schönheiten 美人

b.　複数．
1)　常に複数形で用いられる名詞：Eltern 両親, Leute 人々, Geschwister 兄弟姉妹, Ferien 休暇, Lebensmittel 食料品, Möbel 家具, Kosten 費用；die Alpen アルプス, die Niederlande オランダ, die USA アメリカ合衆国．
2)　物質名詞・抽象名詞を複数で用いる場合．(上記2参照)

名　詞

C. 名詞の格変化

1. 名詞の単数変化

	男性名詞 (*m.*)	女性名詞 (*f.*)	中性名詞 (*n.*)
1 格	der ―	der ―	die ―	das ―
2 格	des ―[e]s	des ―[e]n	der ―	des ―[e]s
3 格	dem ―	dem ―[e]n	der ―	dem ―
4 格	den ―	den ―[e]n	die ―	das ―

1) 大部分の男性名詞とすべての中性名詞は，単数 2 格に -s または -es をつける．-s か -es かは，口調・慣習などに左右されることが多く，明確な区別はむずかしいが，語形から判断できるものが若干ある：

(a) -em, -en, -el, -er, -ling に終る名詞の 2 格には -s をつける：des Atems 呼吸の, des Gartens 庭の, des Onkels おじの, des Lehrers 教師の, des Lieblings 寵児の.

(b) -s, -ß, -x, -sch, -t, -z に終る名詞の 2 格には -es をつける：des Hauses 家の, des Fußes 足の, des Präfixes 接頭辞の, des Arztes 医師の, des Tanzes ダンスの.

2) 男性名詞と中性名詞の単数 3 格に -e がつくことがある．現在では慣用句などに見られるほか, あまり用いられない：nach Haus[e] gehen 帰宅する, auf dem Lande leben 田舎暮らしをしている.

| der Onkel |
| des Onkels |
| dem Onkel |
| den Onkel |

| das Jahr |
| des Jahr[e]s |
| dem Jahr |
| das Jahr |

| das Haus |
| des Hauses |
| dem Haus |
| das Haus |

3) 男性名詞で，単数 1 格以外が -[e]n となるものがある．多くは人・動物を表わす名詞で，《**男性弱変化名詞**》と呼ぶこともある．この変化に属するものは：

der Junge	der Student
des Jungen	des Studenten
dem Jungen	dem Studenten
den Jungen	den Studenten

(a) -e で終る男性名詞：Junge 少年, Kollege 同僚, Löwe ライオン, 等.

(b) -ent, -ist に終る男性名詞：Student 大学生, Patient 患者, Polizist 警察官, Pianist ピアニスト, 等.

(c) その他：Mensch 人間, Held 英雄, Automat 自動装置, 等.

| die Frau |
| der Frau |
| der Frau |
| die Frau |

4) 女性名詞は単数では変化しない.

2. 名詞の複数変化　　次の五つの型がある．(71頁)

	無語尾型		E 型		ER 型	[E]N 型		S 型
1 格 die	—	⸚	—e	⸚e	⸚er	—n	—en	—s
2 格 der	—	⸚	—e	⸚e	⸚er	—n	—en	—s
3 格 den	—n	⸚n	—en	⸚en	⸚ern	—n	—en	—s
4 格 die	—	⸚	—e	⸚e	⸚er	—n	—en	—s

1) 複数形の1格・2格・4格は必ず同形．3格には -n をつける．ただし複数 1格が -n または -s で終る名詞にはつけない．
2) 無語尾型，E 型には幹母音 a, o, u, au が変音するものがある．
3) ER 型では幹母音 a, o, u, au は必ず変音する．
4) [E]N 型では幹母音は変音しない．-in に終る女性名詞の複数語尾は -nen: die Schülerin 女生徒 → die Schülerin**nen**．
5) S 型は近代外国語から入って来た名詞に多い．

名詞の複数変化の例

無語尾型	E 型	ER 型	[E]N 型	S 型
(**der Onkel**)	(**das Jahr**)	(**das Kind**)	(**die Frau**)	(**das Auto**)
m. -s/-	*n.* -[e]s/-e	*n.* -[e]s/-er*	*f.* -/-en	*n.* -s/-s
die Onkel	die Jahre	die Kinder	die Frauen	die Autos
der Onkel	der Jahre	der Kinder	der Frauen	der Autos
den Onkel**n**	den Jahre**n**	den Kinder**n**	den Frauen	den Autos
die Onkel	die Jahre	die Kinder	die Frauen	die Autos
(**die Mutter**)	(**der Arzt**)	(**das Haus**)	(**das Auge**)	
f. -/⸚	*m.* -[e]s/⸚e	*n.* -es/⸚er	*n.* -s/-n	
die Mütter	die Ärzte	die Häuser	die Augen	
der Mütter	der Ärzte	der Häuser	der Augen	
den Mütter**n**	den Ärzte**n**	den Häuser**n**	den Augen	
die Mütter	die Ärzte	die Häuser	die Augen	

◆ * ER 型に属する名詞の複数形では，変音できる幹母音は必ず変音するが，幹母音の変音できない名詞 (Kind, Brett, Ei 等) は 単に -er となる．

名　詞

3. 特殊な変化をする名詞

Herr *m.* -n/-en 紳士, 主人	**Name*** *m.* -ns/-n 名前	**Herz** *n.* -ens/-en 心, 心臓
der Herr　die Herre**n**	der Name　die Name**n**	das Herz　die Herz**en**
des Herr**n**　der Herr**en**	des Name**ns**　der Name**n**	des Herz**ens**　der Herz**en**
dem Herr**n**　den Herr**en**	dem Name**n**　den Name**n**	dem Herz**en**　den Herz**en**
den Herr**n**　die Herr**en**	den Name**n**　die Name**n**	das Herz　die Herz**en**

♦ * Name と同種の変化をする名詞：der Buchstabe 文字, der Funke 火花, der Gedanke 思想, der Glaube 信念, der Wille 意志, 等.

略語の性・数・格(略語の読み方については ⇨ 補遺 152–153 頁)

1) 性

もとの語の性に従う.

der Pkw [peːkaːˈveː] (= **der** Personenkraft**wagen**) 乗用車

die SPD [ɛspeːˈdeː] (= **die** Sozialdemokratische **Partei** Deutschlands) ドイツ社会民主党

das BAföG [ˈbaːfœk] (= **das** Bundesausbildungsförderungs**gesetz**) [ドイツ]連邦奨学金[法]

2) 複数形

ふつう S 型となるが, 無変化の場合もある. 特に女性の略語の場合は単数・複数ともに冠詞が die であるので, 単複の区別を明瞭にするため, 複数に -s をつける形が多く用いられる.

der Pkw → die Pkw**s** [peːkaːˈveːs] / die Pkw

die AG [aːˈgeː] (= Aktiengesellschaft) 株式会社 → die AG**s** [aːˈgeːs]

3) 格変化

男性・中性は単数 2 格に -s をつけることもあるが, 格変化しないほうが多い. 女性は当然無変化である.

der Pkw → des Pkw / des Pkw**s**

das EKG [eːkaːˈgeː] (= das Elektrokardiogramm) 心電図 → des EKG / des EKG**s**

die AG → der AG

D. 格の用法

1.　1格（主格．ほぼ日本語の「…は，…が」にあたる）

1) 主語として：Mein **Onkel** arbeitet in Berlin. 私のおじはベルリーンで働いている．
2) 述語内容語として：Ich bin〈werde〉**Arzt**. 私は医者です〈すぐになる〉．
3) 呼びかけなど：Meine **Damen** und **Herren**! 紳士淑女諸君．| Sehr geehrter Herr **Doktor** Bauer! 敬愛するバウアー博士様．| Mein **Gott**!（私の神よ！→）ああ，なんということだ．

2.　2格（所有格．ほぼ日本語の「…の」にあたる）

1) 名詞への付加語として．
(a) ふつうは修飾する名詞の後におかれる：das Buch **des Lehrers** 教師の本．
(b) 修飾する名詞の前におかれることもある(67頁)：**Peters** Buch ペーターの本 | Müßiggang ist **aller Laster** Anfang.《諺》怠惰は諸悪のはじまり．
2) 数詞・不定数詞の付加語として：einer〈zwei〉**meiner Freunde** 私の友人の一人〈二人〉．
3) 状況語として．（副詞的2格）
(a) 時を表わすもの：**eines Tages** ある日のこと | **eines Abends** ある晩のこと．
(b) 場所を表わすもの：geraden〈gerades〉**Weg[e]s** まっすぐに．
(c) その他：**gesenkten Kopfes** うなだれて | **meines Wissens** 私の知るかぎりでは | **zweiter Klasse** fahren 2等車で行く．
4) 動詞の2格目的語として．(稀)：Sie *gedachten* **der Toten**. 彼らは死者たちを追悼した．
5) 形容詞の2格目的語として．(稀)：Ich bin **der Auszeichnung** nicht *würdig*. 私は表彰されるには値しない．
6) 2格支配の前置詞とともに．(123頁)
7) 2格の述語内容語として：Ich *bin* **der Meinung**, dass… 私は…という意見です．| Er *ist* **guter Dinge**〈**guter Laune**〉. 彼は上機嫌だ．| Wir *sind* **gleichen Alters**. 我々は同年である．

3.　3格（間接目的格．ほぼ日本語の「…に」にあたる）

1) 動詞の3格目的語として：Ich *helfe* **meinem Freund**. 私は友人に助力する．| Das Gebäude *gehört* **unserer Firma**. この建物は我々の会社のものです．| Ich *schenke* **meiner Frau** eine Halskette. 私は妻に首飾りを贈る．

名　詞

2) 自由な3格 (Freier Dativ)

(a) 所有の3格(身体の部分を表わす名詞とともに用いられることが多い): Ich klopfte **ihm** auf die Schulter. 私は彼の肩をとんとたたいた. | Er küsste **ihr** die Hand. 彼は彼女の手にキスした.

(b) 利害・獲得・関心の3格: Ich öffnete **ihm** die Tür. 私は彼のためにドアをあけた. | Ich kaufe **mir** ein Wörterbuch. 私は(自分用に)辞典を買う. | Du arbeitest **mir** zu langsam. 君の仕事は(私には)のろすぎるよ.

(c) 奪離の3格: Ich nahm **dem Einbrecher** das Messer ab. 私は強盗からナイフを奪い取った.

3) 形容詞の3格目的語として: Sein Sohn ist **der Mutter** *ähnlich*. 彼の息子は母親似だ. | Die Sache ist **mir** schon *bekannt*. そのことは私はもう知っている.

4) 3格支配の前置詞とともに. (123, 125頁)

4.　4格 (直接目的格. ほぼ日本語の「...を」にあたる)

1) 動詞の4格目的語として: Ich lese **einen Roman**. 私は小説を読んでいる.

2) 状況語として. (副詞的4格)

(a) 時を表わすもの: **Nächsten Sonntag** fahren wir nach Bonn. 今度の日曜日に私たちはボンへ行く. | Sie ist schon **lange Zeit** krank. 彼女はもう長いこと病気だ.

(b) 場所を表わすもの(多くは副詞[句]を伴って): **die Treppe** hinauf 階段を登って | **einen Kilometer** vor der Tankstelle ガソリン・スタンドの手前1キロのところで.

(c) 数量を表わすもの(形容詞を伴って): **3 cm** *breit* ⟨*dick*⟩ 幅⟨厚さ⟩3センチ | Der Turm ist **90 m** *hoch*. その塔は高さ90メートルだ.

3) nennen 名づける, schelten 叱る, taufen 洗礼する, 等とともに, 述語内容語として: Er *nannte* mich **einen Verräter**. 彼は私を裏切者と呼んだ.

4) 形容詞の4格目的語として. (稀): Er ist **das kalte Wasser** nicht *gewohnt*. 彼は冷たい水に慣れていない.

5) いわゆる絶対的4格: **Den Revolver in der Hand** stürzte der Polizist ins Haus. ピストルを手に警官が建物に突入した.

6) 挨拶などで(本来は Ich wünsche Ihnen...; Haben Sie... などが省略されたもの): **Guten Tag!** こんにちは. | **Glückliches Neujahr!** 新年おめでとう. | **Vielen Dank!** どうもありがとうございます.

7) 4格支配の前置詞とともに. (124, 125頁)

E. 固有名詞の変化

1. 人名

a. 姓 (Familienname) および**男性名・女性名**とも **2 格**に **-s** をつける.

	ロイター(姓)	カルル(男名)	アンナ(女名)
1 格	Reuter	Karl	Anna
2 格	Reuter**s**	Karl**s**	Anna**s**
3 格	Reuter	Karl	Anna
4 格	Reuter	Karl	Anna

b. **-s, -sch, -ß, -x, -tz, -z** に終る姓および男性名の **2 格**には **-ens** をつける.
Schulz シュルツ → Schulz**ens** （古くは 3 格・4 格にも **-en** をつける
Hans ハンス → Hans**ens** 　ことがあった：Schulzen, Hansen ）

 ◆ 最近では **-ens** をつけるよりもアポストロフ（'）か **von+3 格**で書き換えることが多い：Hans' Bruder — der Bruder **von** Hans ハンスの兄〈弟〉.

c. **-e** に終る女性名の **2 格**には **-ns** をつける：Luise**ns** Vater ルイーゼの父親
（古くは 3 格・4 格に **-n** をつけることがあった：Luisen）

 ◆ 今日では **von+3 格**で書き換えることが多い：der Vater **von** Luise

d. 姓・名を連記した場合は, 姓の **2 格**に **-s** をつける.

	ヴォルフガング・アマデーウス・モーツァルト	ルイーゼ・リンザー
1 格	Wolfgang Amadeus Mozart	Luise Rinser
2 格	Wolfgang Amadeus Mozart**s**	Luise Rinser**s**

 ◆ Jesus Christus 「イエス・キリスト」は特殊な変化をする：
 (2 格) Jesu Christi, (3 格) Jesu Christo, (4 格) Jesum Christum.

e. 人名に定冠詞, 所有代名詞, 形容詞などの付加語がつく場合, 付加語のみが変化し, 人名は変化しない.

	老トーマス・マン	わが愛するマリー
1 格	**der** alte Thomas Mann	meine liebe Marie
2 格	**des** alt**en** Thomas Mann	meiner lieben Marie
3 格	**dem** alt**en** Thomas Mann	meiner lieben Marie
4 格	**den** alt**en** Thomas Mann	meine liebe Marie

名　詞

♦ 古くは付加語があっても人名も変化した：
　,,Die Leiden des jungen Werthers"『若きヴェルテルの悩み』．

f. 人名の前に称号がつく場合．冠詞があれば冠詞と称号が変化し，冠詞がなければ人名だけが変化する．

皇帝ルートヴィヒ	
1 格　**der** Kaiser Ludwig	Kaiser Ludwig
2 格　**des** Kaiser**s** Ludwig	Kaiser Ludwig**s**
3 格　**dem** Kaiser Ludwig	Kaiser Ludwig
4 格　**den** Kaiser Ludwig	Kaiser Ludwig

♦ Herr は冠詞の有無にかかわらず常に変化する．しかし冠詞があれば人名は変化せず，冠詞がなければ人名も変化する：
　(2格) **des** Herr**n** Müller / Herr**n** Müller**s**

g. 人名の後につく「…大王」「…世」などの称号は，定冠詞をつけた名詞化形容詞として変化する．

カルル大王	皇帝ルートヴィヒ二世
1 格　Karl der Große	Kaiser Ludwig II. (der Zweite)
2 格　Karl**s** des Großen	Kaiser Ludwig**s** II. (des Zweiten)
3 格　Karl dem Großen	Kaiser Ludwig II. (dem Zweiten)
4 格　Karl den Großen	Kaiser Ludwig II. (den Zweiten)

h. 姓に -s をつけると「…家の人々」を表わす．
　[Die] Müllers, unsere Nachbarn, sind verreist. お隣のミュラーさん一家はご旅行中です．

2. 地名

a. 地名・都市名・国名は一般に中性である．原則として無冠詞で用いられ，2格に -s をつけるだけである．ただし付加語がつくと定冠詞を伴い，地名は無変化となることが多い．

ドイツ	ベルリーン	昔の日本
Deutschland	Berlin	das alte Japan
Deutschland**s**	Berlin**s**	des alten Japan[s]
Deutschland	Berlin	dem alten Japan
Deutschland	Berlin	das alte Japan

固有名詞の変化

- ♦ -s, -z などに終る地名は，前置詞 von を用いて書き換える：
  die Straßen **von** Paris パリの街々.

b. 女性(まれに男性)または複数の国名 (65 頁) には必ず定冠詞をつけて，普通名詞の変化をする.

	スイス	アメリカ合衆国
1 格	die Schweiz	die Vereinigten Staaten von Amerika
2 格	der Schweiz	der Vereinigten Staaten von Amerika
3 格	der Schweiz	den Vereinigten Staaten von Amerika
4 格	die Schweiz	die Vereinigten Staaten von Amerika

c. 山・川・湖・海などの名はそれぞれ性別があり (65, 70 頁)，定冠詞をつけて普通名詞の変化をする.

ハールツ山地	ライン河	ドーナウ河	ボーデン湖	アルプス
der Harz	der Rhein	die Donau	der Bodensee	die Alpen
des Harz**es**	des Rhein**s**	der Donau	des Bodensee**s**	der Alpen
dem Harz	dem Rhein	der Donau	dem Bodensee	den Alpen
den Harz	den Rhein	die Donau	den Bodensee	die Alpen

IV. 代　名　詞

　既出の名詞を指したり，不定代名詞として不特定のものを表わすなど，名詞の代わりに用いられる品詞を《**代名詞**》と呼び，単独で名詞的に用いられるものと，付加語的に用いられるものとがある．

A.　人称代名詞

　話者自身(1人称)・対話の相手(2人称)・第三者(3人称)を表わす代名詞で性・数・格による語形変化がある．

		1人称	2人称	3人称			2人称
			親称	男性	女性	中性	敬称
単数	1格	ich	du	er	sie	es	Sie
	2格	(meiner)	(deiner)	(seiner)	(ihrer)	(seiner)	(Ihrer)
	3格	mir	dir	ihm	ihr	ihm	Ihnen
	4格	mich	dich	ihn	sie	es	Sie
複数	1格	wir	ihr	sie			Sie
	2格	(unser)	(euer)	(ihrer)			(Ihrer)
	3格	uns	euch	ihnen			Ihnen
	4格	uns	euch	sie			Sie

◆　人称代名詞の2格はふつう所有関係を表わさない．人を表わす場合に限り2格支配の前置詞・形容詞・動詞とともに用いられる．所有関係を表わす所有代名詞 (90頁) と混同しないこと：
　Statt **seiner** kommt seine Frau.　彼の代わりに彼の奥さんが来る．
　Sein Sohn ist **seiner** *würdig*.　彼の息子は彼にふさわしい．
　Sie stand lange vor dem Grab und *gedachte* **seiner**.　彼女は長いこと墓前にたたずみ，彼をしのんだ．
◆　次のような慣用的用法で所有を表わすことがある：
　　ihrer viele　彼ら大勢 (ihrer は sie の2格)
　　Er ist unser aller 〈beider〉 Freund.　彼は我々全員〈二人〉の共通の友人だ．
　　(unser aller 〈beider〉 は wir alle 〈beide〉 の2格)

人称代名詞

1. 親称 2 人称 du/ihr と敬称 2 人称 Sie

du/ihr は親しい間柄(家族・友人など)で，および大人が子供に対して用い，**Sie** はそれ以外の対人関係で用いられる．この Sie は複数 3 人称形から転用されたものであり，単複同形で，常に大文字書きである．最近では du/ihr を用いるケースがふえる傾向にある(学生同士，同僚間などで)．普通 Sie を用いる間柄では «姓» (Familienname) に Herr/Frau をつけ，du/ihr を用いる間柄では «名» (Vorname) のみで呼びかける．従来，書簡では親称 2 人称も (所有代名詞 dein/euer も) 頭文字を大文字書きする習慣があった．

Wie alt bist **du**, Hans? ハンス，君いくつだい？
Darf ich **Ihnen** helfen, Frau Kant? お手伝いしましょうか，カント夫人？

2. 人称代名詞の 3 人称の用法

a. 人を表わす場合 (英語の he, she, they にあたる), er は男の人を，sie は女の人，および複数の人を表わす．

Kennst du *Hans* ⟨*Marie*⟩? — Ja, ich kenne **ihn** ⟨**sie**⟩. 君はハンス⟨マリー⟩を知っているかい？— ええ，私は彼を⟨彼女を⟩知っています．
Kennst du *seine Eltern*? — Ja, ich kenne **sie**. 君は彼の両親を知っていますか？— はい，私は彼らを知っています．

◆ 人を表わす中性名詞を es で受けることもあるが，最近では自然の性に従うことが多い：Da kommt *ein Mädchen*. **Sie** ist meine Nichte. 女の子がやって来る．彼女は私の姪です．

◆ 複数 sie が前出の名詞を受けるのではなく，漠然と「人びと (=man)」の意味で用いられることがある：Sie essen viel Fettes in Dänemark. デンマークでは油っこいものをよく食べる．

b. 人以外の既出の名詞を受ける場合 (英語の it, they にあたる), er は男性名詞を，sie は女性名詞および複数の名詞を，es は中性名詞を受ける．

Dort siehst du *einen Tisch* ⟨*eine Uhr/ein Auto*⟩. Ich habe **ihn** ⟨**sie/es**⟩ vor fünf Jahren gekauft. あそこにテーブルが⟨時計が/自動車が⟩見えるだろう．私はあれを 5 年前に買ったのだ．

c. 人称代名詞の用いられない場合．

1) 既出の名詞が不特定のものである場合は，人称代名詞では受けられない．この場合は，不定代名詞 einer, keiner が用いられる (103 頁)：
Wissen Sie hier *einen* guten *Arzt*? — Ja, ich kenne **einen**. ⟨Nein, ich kenne

代名詞

keinen〉. この近所にいいお医者さんを御存知でしょうか？ — はい，一人知っています.〈いいえ，知りません〉.
Hast du *einen Kugelschreiber*? — Ja, ich habe **einen**.〈Nein, ich habe **keinen**〉.
君はボールペンを持っているかい？ — はい，1本持っている.〈いいえ，持っていない〉.

2) man は人称代名詞で受けられない．(101頁)

3. 前置詞と人称代名詞の融合形

人称代名詞が《事物》をさし，前置詞とともに用いられるときは，《**da[r]-**＋前置詞》（前置詞が母音で始まるときは dar-）の形になる.

daran	darauf	daraus	dabei	dadurch	dafür
dagegen	dahinter	darin	damit	danach	daneben
darüber	darum	darunter	davon	davor	dazu
dazwischen					

Schreibst du **mit dem Bleistift**? — Ja, ich schreibe **damit**.
君は鉛筆で書くのですか？ — はい，私はそれで書きます．

ただし人称代名詞が《人》をさす場合には融合形は用いられない*：
Reist du **mit deiner Freundin**? — Ja, ich reise **mit ihr**.
君は君の恋人と旅行するのか？ — そう，僕は彼女と旅行します．

♦ * ただし，先行する名詞が複数の人物をさす場合には融合形が用いられることがある：Sie hat drei Brüder. Einen **davon** kenne ich. 彼女には3人の兄弟がいる．その一人を私は知っている．| Auf der Wiese spielten die Kinder Fußball. **Darunter** war ein Mädchen. 原っぱで子供たちがサッカーに興じていた．その中に女の子が一人まじっていた．

♦ 人称代名詞以外に，指示代名詞 der も前置詞と融合して《da[r]-＋前置詞》となる．dar- は口語や慣用句では dr- になることがある：
daran → dran, daraus → draus など．

♦ 後続の副文，zu 不定詞句などを先取りする《da[r]-＋前置詞》(darauf, darum など)については 51, 86 頁．

B. es の用法

es には人称代名詞 (82頁) で述べた以外にもさまざまな用法がある．

1. 既出の語句を受ける es

a. 性・数にかかわりなく既出の名詞を受ける (er, sie も用いられる)．
Kennst du den Herrn da? **Es** ⟨Er⟩ ist Pauls Vater. 君はあの男の人を知っていますか？あれはパウルの父親ですよ．
Da sind viele Ausländer. **Es** ⟨Sie⟩ sind* Touristen. あそこに大勢の外国人がいる．あれは観光客たちだ．
- ＊ es が複数名詞を受けるとき，定動詞は述語内容語に合わせて複数形となる．

b. 既出の述語内容語を受ける．
Ich bin Student, und Hans ist **es** auch. 私は大学生だ，ハンスもそうだ．
Hans ist faul, und Inge ist **es** auch. ハンスは怠け者だ，インゲもそうだ．

c. 前文の内容を受ける．
Inge ist schon verheiratet, ich wusste **es** aber nicht. インゲはもう結婚している，だが私はそれを知らなかった．
- 4格の es は文頭には置けない．文頭では指示代名詞 das が用いられる (92頁)：Inge ist schon verheiratet, *das* wusste ich aber nicht.

2. 後続の語句を先取りする es

a. 名詞・代名詞を先取りして．
Es passierte heute Morgen ein schwerer Unfall. けさ大事故があった．
Es war niemand zu Haus. 誰も家にいなかった．

b. 副文を先取りして．
1) dass 文章を先取りして：**Es** freut mich, dass du kommst. 君が来てくれて，うれしい．
   - この es は文頭以外では脱落することがある：Mich freut [**es**] besonders, dass du kommst.
2) dass 文章以外の文を先取りして：**Es** ist noch nicht bekannt, wann der neue Minister ernannt wird. 新しい大臣がいつ指名されるか，まだわからない．| **Es** war Hanna, die nicht heiraten wollte. 結婚したがらなかったのは，ハンナのほうだ．(100頁)

c. **zu** 不定詞句を先取りして．
1) 主語として：**Es** freut mich, Sie kennen zu lernen. あなたとお近づきになれてうれしいです．
2) 目的語として(動詞によって es を省略するものがある)：Ich habe [**es**] wieder einmal vergessen, ihm das Geld zurückzugeben. 私はまたしても彼に金を返すのを忘れてしまった．

d. 前置詞つき目的語をとる動詞の場合は，先取りの es を《da[r]-＋前置詞》の融合形とする．この《da[r]-＋前置詞》も省略されることがある．
Ich freue mich **darauf**, in diesem Winter nach Hawaii zu fliegen. 私はこの冬にハワイへ飛ぶことを楽しみにしている．
Ich bitte Sie [**darum**], mir 100 Euro zu leihen. 私に 100 ユーロお貸しくださるよう，お願いいたします．

3. 形式上の主語としての es

意味上，主語がありえない文，主語が何かわからない文，主語が不必要な文で，単なる形式上の主語として用いられる es がある．この es は文頭以外では省略されることが多い．

a. 自然現象など．(いわゆる《非人称動詞》)
1) 天候・日時など (es は文頭以外でも省略されない)：
 Es regnet. 雨が降る．| **Es** schneit. 雪が降る．| **Es** donnert. 雷が鳴る．
 ♦ 上に挙げたような動詞の主語となるのは es のみ (いわゆる《非人称動詞》)．完了の助動詞は haben．
 Es ist kalt. 寒い．| **Es** ist heiß. 暑い．| **Es** wird Abend 〈Sommer〉. 晩〈夏〉になる．| Jetzt ist **es** 8 Uhr. ただいま 8 時です．
2) 音・においなど (es は文頭以外でも省略されない)：
 Es riecht nach Fisch. 魚のにおいがする．| An der Tür klopft **es**. ドアをノックする音がする．| **Es** klingelt. ベルが鳴っている．
3) 生理的・心理的感覚 (意味上の主語は 3 格または 4 格で表わされる)：
 Es ist *mir* kalt 〈übel〉. / *Mir* ist [**es**] kalt 〈übel〉. 私は寒い〈気分が悪い〉．
 Es graut *mir*. / *Mir* graut. 私は怖い．
 Es friert *mich*. / *Mich* friert. 私はとても寒い．(ふつうは Ich friere.)
4) その他，主語が明瞭でない場合：
 Es gefällt mir hier gut. ここは気に入っている．| So, jetzt reicht's für heute. さあ，今日はこれで充分だ．

再帰代名詞

b. 熟語で. (いわゆる《非人称熟語》)
1) **es gibt+4格**「…がある」: In diesem Dorf **gibt es** *keinen Bahnhof.* この村には駅がない.
2) **es geht+3格**「…の調子は…である」: Wie **geht es** *Ihnen*? ― Danke, [**es geht** *mir*] gut. お元気ですか? ― ありがとう, [私は]元気です.
3) **es handelt sich um+4格**「(問題は)…である」: Hier **handelt es sich um** *die Zukunft* der Menschheit. ここで問題になっているのは人類の将来である.

c. 自動詞の受動文 (45頁), zu 不定詞 (51頁), 再帰代名詞 (88頁).

4. 形式上の目的語としての es (少数の熟語的表現で)

a. 動詞の目的語として.
　Ich habe **es** eilig. 私は急いでいる.
　Ich meinte **es** gut mit dir. 君によかれと思ってしたことだ.
　Er hat **es** sehr weit gebracht. 彼はとても出世した.
　Mach'**s** gut! うまくやれよ!

b. 形容詞の目的語として.
　Ich bin **es** satt. もうあきあきした.

C. 再帰代名詞

主語と同じものを指す3格・4格の代名詞を《再帰代名詞》という. 1・2人称には人称代名詞を, 3人称には sich を用いる. 敬称2人称 Sie の再帰代名詞も sich (小文字書き)である (英語の myself, yourself, himself, oneself などに相当する).

	1人称 (ich)　　(wir)	2人称 (du)　　(ihr)	3人称 (er/sie/es)　(sie)	2人称 (敬称 Sie)
3格	mir　　uns	dir　　euch	**sich**　　**sich**	**sich**
4格	mich　　uns	dich　　euch	**sich**　　**sich**	**sich**

Peter ist mit **sich** [selber*] zufrieden. ペーターは自分に満足している.
《参照》 Peter ist mit **ihm** zufrieden. ペーターはその男に満足している.

Inge hat **sich** umgebracht. インゲは自殺した.
《参照》 Inge hat **sie** umgebracht. インゲは彼女を殺した.

代名詞

Ich hörte hinter **mir** eine Stimme.　私は私の背後に誰かの声を聞いた．
Wir arbeiten nicht für unsere Firma, sondern für **uns** selbst*.　我々は我々の会社のためにではなく，我々自身のために働く．
　♦　＊　主語との同一性を明示するために selbst, selber を添えることがある．

a. 獲得・所有・関心などを表わす再帰代名詞の **3** 格．(78 頁)
Ich kaufe **mir** ein Wörterbuch.　私は(自分用に)辞書を買う．
Ich wasche **mir** die Hände.　私は(自分の)手を洗う．
Ich möchte **mir** den Film einmal ansehen.　私はあの映画を見てみたい．

b. 動詞と緊密に結合して一つの概念を表わすもの．(32-33 頁)
Jetzt muss ich **mich beeilen**.　さあ，急がなくては．
Er hat **sich** schwer **erkältet**.　彼はひどく風邪をひいてしまった．

c. 文の主語と一致しない場合の再帰代名詞．
1) lassen, hören, sehen などによる構文で (41 頁)：
Er hörte seinen Freund über **sich** spotten.　彼は友人が自嘲しているのを聞いた．(sich は不定詞の意味上の主語 Freund を指す)
Er hörte seinen Freund über **ihn** spotten.　彼は友人が彼のことを嘲るのを聞いた．(人称代名詞 ihn は文の主語 er を指す)
2) zu 不定詞の場合：
Er bat Peter, **sich** zu entschuldigen.　彼はペーターに，あやまるようにと頼んだ．(sich は不定詞の意味上の主語 Peter を指す)
Er bat Peter, **ihn** zu entschuldigen.　彼はペーターに，許してくれと頼んだ．(ihn は文の主語 er を指す)

d. 主語の性質などを表わす再帰代名詞の用法．(一種の受動表現)
1) **lassen＋sich＋他動詞〈自動詞〉の不定詞** (可能)：
Das Problem lässt **sich** leicht lösen.　この問題は容易に解決される．
Mit ihm lässt es **sich** nicht leben.　あいつとはいっしょに暮らせない．
2) 他動詞＋**sich** (自発)：
Die Tür öffnet **sich**.　ドアが開く．
Das versteht **sich** [von selbst].　それは自明のことだ．
3) es＋自動詞＋**sich**＋形容詞 (可能)：
In diesem Sessel sitzt es **sich** bequem.　この肘掛け椅子は座り心地がいい．
Auf dem Lande lebt es **sich** angenehm.　田舎は暮らしやすい．

e. 相互代名詞的用法.

1) 主語が複数形(単数形であっても意味的に複数の man, Paar など)の場合, 再帰代名詞を相互代名詞 einander「互いに」の代わりに用いることがある:
Hans und Peter helfen **sich**.　ハンスとペーターは助け合う.
Beim Grüßen gibt man **sich** die Hand.　挨拶するときには手を握り合う.
Wir verstehen **uns** sehr gut.　私たちは仲良しだ.

2) 相互代名詞的に用いられる再帰代名詞は前置詞と結ぶことができず,《前置詞＋einander》の合成語になる:
Sie dachten **aneinander** (an sich は不可).　彼らはお互いに相手のことを思っていた.

f. 4格の再帰代名詞が自動詞および結果を表わす語句とともに用いられて.
Er **arbeitet sich** *müde*.　彼は働きすぎて疲れた.
Endlich konnte ich **mich** *satt* **essen**.　ようやく腹一杯食べられた.

D.　相互代名詞

「互いに・互いを」を表わす代名詞 einander を《相互代名詞》という.

a. 相互代名詞は3格・4格にのみ用いられる.

Hans und Peter helfen **einander**.　ハンスとペーターは助け合う.
Beim Grüßen gibt man **einander** die Hand.　挨拶するときには手を握り合う.
Wir verstehen **einander** sehr gut.　我々は仲良しだ.

b. 再帰代名詞を相互代名詞の代わりに用いることが多い(上記 **e.**1)).

◆　ただし相互代名詞を前置詞と結ぶときは《前置詞＋einander》の合成語になる. 再帰代名詞を用いることはできない(上記 **e.**2)).

代名詞

E. 所有代名詞

	単　　数		複　　数	
	(人称代名詞)		(人称代名詞)	
1 人称	(ich →)	**mein** 私の	(wir →)	**unser** 私たちの
2 人称 (親称)	(du →)	**dein** 君の	(ihr →)	**euer** 君たちの
3 人称 ｛男性	(er →)	**sein** 彼の	(sie →)	**ihr** ｛彼らの
女性	(sie →)	**ihr** 彼女の		彼女らの
中性	(es →)	**sein** それの		それらの
2 人称 (敬称)	(Sie →)	**Ihr** あなたの	(Sie →)	**Ihr** あなたがたの

1. 付加語としての用法

例: **mein** 私の．単数は不定冠詞と同一変化 (65頁)．複数は dieser の複数と同一変化 (94頁)．このような変化を《mein 型》と呼ぶ．

	m.		*f.*		*n.*		*pl.*	
1 格	**mein**	Vater	**meine**	Tante	**mein**	Kind	**meine**	Eltern
2 格	**meines**	Vaters	**meiner**	Tante	**meines**	Kindes	**meiner**	Eltern
3 格	**meinem**	Vater	**meiner**	Tante	**meinem**	Kind	**meinen**	Eltern
4 格	**meinen**	Vater	**meine**	Tante	**mein**	Kind	**meine**	Eltern

♦　unser, euer は語幹の -e- を省略することがある．unsres のように e が脱落しても，s の発音は [z] のままである (unsres ['ʊnzrəs]).

unser	Vater	uns[e]re	Tante	unser	Kind	uns[e]re	Eltern
uns[e]res	Vaters	uns[e]rer	Tante	uns[e]res	Kindes	uns[e]rer	Eltern
uns[e]rem	Vater	uns[e]rer	Tante	uns[e]rem	Kind	uns[e]ren	Eltern
uns[e]ren	Vater	uns[e]re	Tante	unser	Kind	uns[e]re	Eltern

euer	Vater	eu[e]re	Tante	euer	Kind	eu[e]re	Eltern
eu[e]res	Vaters	eu[e]rer	Tante	eu[e]res	Kindes	eu[e]rer	Eltern
eu[e]rem	Vater	eu[e]rer	Tante	eu[e]rem	Kind	eu[e]ren	Eltern
eu[e]ren	Vater	eu[e]re	Tante	euer	Kind	eu[e]re	Eltern

♦　unserm, unsern, euerm などのように語尾の e を省略する形もある．

Ich brauche **meinen** Pass, **mein** Ticket und **meine** Brieftasche. 私は旅券と切

符と紙入れを必要とする.

Peter begrüßte **seine** Schwester und **ihren** Mann. ペーターは彼の姉とその夫に挨拶をした.

2. 名詞的用法

「私のもの, 彼のもの」などのように, 名詞を言わずに所有物を表現するときは, 次のように変化する.

a. 無冠詞で. 例: **meiner** 私のもの. dieser 型変化 (94頁).

	m.	*f.*	*n.*	*pl.*
1 格	meiner	meine	meines	meine
2 格	meines	meiner	meines	meiner
3 格	meinem	meiner	meinem	meinen
4 格	meinen	meine	meines	meine

◆ dein-, sein-, ihr-, uns[e]r-, eu[e]r-, Ihr- も同様に変化する. 中性1格・4格は口語では meines (deines, seines...) の代わりに meins (deins, seins...) となることが多い.

Hier liegt ein Autoschlüssel. Ist es **Ihrer**? — Nein, ich habe **meinen** in der Tasche. ここに自動車のキーがある. あなたのですか? — いいえ, 私のはポケットに入っています.

Ist das euer Wagen? — Ja, das ist **unsrer**. これは君たちの車ですか? — はい, 我々のです.

Mein Heft ist hier. Wo hast du **deins**? ここに私のノートがあります. 君のはどこにありますか?

b. 定冠詞つきで. 例: **der meine** 私のもの. 形容詞の弱変化に同じ (107頁).

1 格	der meine	die meine	das meine	die meinen
2 格	des meinen	der meinen	des meinen	der meinen
3 格	dem meinen	der meinen	dem meinen	den meinen
4 格	den meinen	die meine	das meine	die meinen

◆ der deine, der seine, der ihre, der uns[e]re, der eu[e]re, der Ihre も同様. 口語ではあまり用いられない.

Ihr Mann ist immer gesund, **der meine** ist immer krank. あなたの御主人はいつもお元気ですが, うちの(主人)は病気ばかりしています.

代名詞

c. 定冠詞＋—ige.　例：**der meinige** 私のもの．形容詞の弱変化に同じ(107頁).

	m.	*f.*	*n.*	*pl.*
1格	der meinige	die meinige	das meinige	die meinigen
2格	des meinigen	der meinigen	des meinigen	der meinigen
3格	dem meinigen	der meinigen	dem meinigen	den meinigen
4格	den meinigen	die meinige	das meinige	die meinigen

◆ 口語ではあまり用いられない．
Du hast nur an deinen Vorteil gedacht, nicht an **den meinigen**.　君は君の利益ばかりを考えて，私の利益は考えてくれなかった．

d. **das Meine, die Meinen; das Meinige, die Meinigen** など．

中性形および複数形を大文字書きしたものは，既出の名詞をさすのではなく，特別の意味をもつ（小文字書きも可）：
中性形：das Meine, das Meinige　私の義務〈財産〉
複数形：die Meinen, die Meinigen　私の家族〈仲間〉

Wie geht es **den Deinen**?　君の御家族はお元気ですか？
Ich habe **das Mein[ig]e** getan.　私は私の義務を果たした．

F．指示代名詞

1.　**der, die, das; die**　この，その，あの / これ，それ，あれ

もっとも多く用いられる指示代名詞で，付加語としては定冠詞と同じ変化をし(64頁)，名詞的用法では次のように変化する．指示代名詞は定冠詞とは異なり，強く発音される．

1格	der	die	das	die
2格	dessen	deren	dessen	deren, derer*
3格	dem	der	dem	denen
4格	den	die	das	die

◆ * **derer** は常に関係代名詞の先行詞として用いられるが，稀である：Die Leistung **derer** (=von denen), *die* ausgezeichnet werden, ist überragend. 表彰される者たちの成績は抜群である．

a.　指示代名詞は文頭におかれることが多い．
Kennst du den Mann dort? — Ja, **den** kenne ich gut.　あそこの男の人を知っていますか？— はい，あの人ならよく知っています．

♦ 指示代名詞 den の代わりに人称代名詞 ihn を用いると，ihn はふつう文頭には立たない: Ja, ich kenne *ihn* gut.

b. 指示代名詞が付加語を伴うことがある: **der da** (*m.*)/**die da** (*f.*) あれ; あの人，**das hier** これ (*n.*).

Kennst du **den da**? Ich meine **den in Uniform**. 君はあの男を知っているかい? 制服を着ているあの男のことだよ.

c. **das** は性・数に関係なく用いられ，es (85 頁) と同様，さまざまな用法がある.

Das ist mein Bruder. それは私の兄〈弟〉です.

Das *sind* meine Freunde. これは私の友人たちです.

♦ 定動詞は述語内容語に合わせて，複数形となる.

Er ist krank. — **Das** weiß ich. 彼は病気だ. — 知っているよ.

d. 所有代名詞 sein, ihr では所有関係がはっきりしない場合，指示代名詞の dessen, deren を用いることがある.

Petra ärgert sich über Renate und **deren** Mann. ペートラはレナーテとその(レナーテの)夫に腹を立てている.

♦ Petra ärgert sich über Renate und **ihren** Mann. では，ペートラがレナーテと「自分の夫」に腹を立てているの意味になるのがふつうである.

e. 前置詞と指示代名詞の融合形.

指示代名詞が《事物》をさし，前置詞とともに用いられるときは，《**da[r]**-+前置詞》の形になる. (84 頁)

2. derjenige, diejenige, dasjenige; diejenigen その，それ

der の部分は定冠詞と同じ変化, -jenig- の部分は形容詞の弱変化と同じ変化. 付加語としても，名詞的にも用いられるが，der, die, das (92 頁) よりも指示力が強く，主に関係代名詞の先行詞として用いられる.

	m.	*f.*	*n.*	*pl.*
1 格	derjenige	diejenige	dasjenige	diejenigen
2 格	desjenigen	derjenigen	desjenigen	derjenigen
3 格	demjenigen	derjenigen	demjenigen	denjenigen
4 格	denjenigen	diejenige	dasjenige	diejenigen

Diejenigen [Studenten], *die* durch die Prüfung gefallen sind, können sie nur noch einmal wiederholen. 試験に落ちた学生たちは，もう一度だけ受験することができる.

代名詞

3. derselbe, dieselbe, dasselbe; dieselben 同一の(人・物)

der の部分は定冠詞と同じ変化, -selb- の部分は形容詞の弱変化と同じ変化. 付加語としても, 名詞的にも用いられる. 2格形は用いられない.

	m.	f.	n.	pl.
1 格	derselbe	dieselbe	dasselbe	dieselben
2 格	(desselben)	(derselben)	(desselben)	(derselben)
3 格	demselben	derselben	demselben	denselben
4 格	denselben	dieselbe	dasselbe	dieselben

Wir sind aus **derselben** Stadt. 我々は同じ町の出身だ.
Er ist immer **derselbe** geblieben. 彼は少しも変わっていない.

♦ derselbe が「同一」を表わすのに対して, der gleiche は「同種」を表わす. ただし日常語ではこの区別は必ずしも厳密ではない:
Er hat immer noch **denselben** Füller, den er vor 5 Jahren hatte. 彼は相変わらず5年前と同じ万年筆を使っている.
Er hat **den gleichen** Kugelschreiber wie ich. 彼は私と同じ[ような]ボールペンを持っている.

4. dieser, diese, dies[es]; diese この, これ

付加語としても, 名詞的にも用いられる. (このような変化を «dieser 型変化» と呼ぶ)

1 格	dieser	diese	dieses	diese
2 格	dieses	dieser	dieses	dieser
3 格	diesem	dieser	diesem	diesen
4 格	diesen	diese	dieses	diese

♦ 中性1格・4格に dies という形もある. 中性の dies[es] には人称代名詞 es, 指示代名詞 das と同様の用法がある. (85頁, 93頁)

Dieser Zug hält nicht in Hameln. **Dies** ist ein D-Zug. この列車はハーメルンには停車しない. これは急行列車だから.

5. jener, jene, jenes; jene あの, あれ

dieser 型の変化をし, 付加語としても, 名詞的にも用いられる.
Ich erinnere mich noch oft an **jene** schönen Tage. 私はあのすばらしかった日々をいまもなおよく思い出す.

指示代名詞

- **dieser** と **jener**. dieser「この」に対して，遠くの物を指して「あの」というとき，今日の日常語では jener はほとんど使われない(英語の this — that の関係とは異なる). 例えば「あの人，あの自動車」は, jener [Mann], jenes [Auto] とは言わず，**der** [Mann] **da**, **das** [Auto] **dort** などと表現する:
  Vor dem Haus stehen zwei Autos; **dies**[**es**] ⟨**das hier**⟩ ist ein BMW, **das dort** ist ein VW. 家の前に車が2台ある．こっちのはベーエムヴェーで，あっちのはフォルクスワーゲンだ．

- jener, dieser を「前者，後者」の意味で用いることもある: Mutter und Tochter waren da, **diese** trug eine Jeans, **jene** einen Rock. 母と娘がそこにいた．後者(娘)はジーンズを，前者(母親)はスカートを着ていた．

6. solcher, solche, solches; solche このような⟨そのような⟩(人・物)
付加語としても，名詞的にも用いられ，dieser 型の変化をする．

	m.	*f.*	*n.*	*pl.*
1 格	solcher	solche	solches	solche
2 格	solches	solcher	solches	solcher
3 格	solchem	solcher	solchem	solchen
4 格	solchen	solche	solches	solche

Mit **solchen** Leuten kann man nicht verkehren. そのような人とはつきあえない．

a. solcher にはほかに **ein solcher**/**solch ein** という形がある．ein solcher は不定冠詞＋形容詞の変化(混合変化. 108頁), solch ein は solch は無変化で，ein が不定冠詞の変化をする．複数では ein が落ち，solch- が dieser 型となる．

1 格	ein solcher	eine solche	ein solches	solche
2 格	eines solchen	einer solchen	eines solchen	solcher
3 格	einem solchen	einer solchen	einem solchen	solchen
4 格	einen solchen	eine solche	ein solches	solche

Einen solchen ⟨**Solch einen**⟩ Menschen habe ich noch nie gesehen. このような人間を私はいまだかつて見たことがない．

b. 日常語では, solcher (ein solcher, solch ein) の代わりに，付加語として so ein が，名詞的には so etwas が多く用いられる．

代名詞

So [et]was habe ich nie gehört.　そんなことは聞いたことがない．
Mit so einem Kerl kann man nichts anfangen.（＝Mit einem solchen 〈mit solch einem〉 Kerl ...）　あんな奴はどうにもならない．

G.　疑問代名詞

1.　wer?　誰?；was?　何?

1 格	wer	was
2 格	wessen	(wessen)
3 格	wem	
4 格	wen	was

原則として《人》を問うには wer?，《事物》を問うのに was? を用いる．両方とも名詞の性・数とは無関係に名詞的にのみ用いられる．

Wer hat das getan?　誰がそれをやったのか？
Wessen Auto ist das?　これは誰の自動車ですか？
Wem gehört das Auto?　この自動車は誰のですか？
♦　所有者を尋ねるにはふつう wessen...? ではなく，wem gehört...? を用いる．
Wen hast du gestern besucht?　君は昨日誰を訪ねたのか？
Was ist passiert?　何が起こったのか？
Was möchten Sie trinken?　あなたは何をお飲みになりたいですか？

a. was を人に関して用いると，《職業》を尋ねることになる．これに対して **wer** は《名前》などを尋ねるときに用いる．
Was sind Sie [von Beruf]?　あなたの御職業は何ですか？
Wer ist der Herr da?—Das ist Herr Müller, Inges Freund.　あの男の人は誰ですか？—彼はミュラーさんです，インゲのボーイフレンドです．

b. was が前置詞とともに用いられるときは，《wo[r]-＋前置詞》の形になる．

woran	worauf	woraus	wobei	wodurch	wofür
wogegen	worin	womit	wonach	worüber	worum
worunter	wovon	wovor	wozu		

♦　上記以外の融合形は作れない．

Woran denken Sie jetzt?　あなたはいま何のことを考えているのですか？
Wozu kann man denn das gebrauchen?　これはいったい何に使えるのか？

♦　口語では an was, über was 等も用いられる：**An was** denken Sie jetzt?

疑問代名詞

2. was für ein? どんな[種類の](人・物)?

付加語としても名詞的にも用いられる．ein は付加語として用いられるときは不定冠詞の変化を，名詞的用法の場合は不定代名詞 einer (103頁)の変化をする．名詞的用法のさい，複数は was für welche? となる．was für ein は種類・性質を問う疑問代名詞であるから，答えには原則として不定冠詞つき名詞が用いられる．なおこの für は前置詞としての格支配をしない．

a. 付加語としての用法

	m.	f.	n.	pl.
1 格	was für ein	was für eine	was für ein	was für
2 格	(was für eines)	(was für einer)	(was für eines)	(was für)
3 格	was für einem	was für einer	was für einem	was für
4 格	was für einen	was für eine	was für ein	was für

Was für einen Wagen fahren Sie? — Einen BMW. あなたはどんな車に乗っているのですか？—ベーエムヴェーです．
Mit **was für einem** Füller schreiben Sie? — Mit einem ,,Montblanc". どんな万年筆で書いていますか？—「モンブラン」でです．
Was für Leute sind das? — Das sind Ingenieure aus München. あれはどんな人たちですか？—ミュンヒェンから来た技師たちです．

1) 物質名詞などの前では ein は脱落することがある (66頁):
Was für Wein trinken Sie gern? — Ich trinke gern Rotwein. あなたはどんなワインをお好みですか？—私は赤ワインを好んで飲みます．

2) 日常語では was と für ein が離れることがある:
Was ist das **für ein** Apparat? それはどんな種類の機械ですか？
Was haben Sie **für** Hobbys? あなたはどんな趣味をお持ちですか？

3) was für ein が感嘆文を作ることがある:
Ach, **was** redest du denn **für einen** Unsinn! なんと馬鹿なことを言うんだ！
Was für ein prächtiges Pferd! まあ，なんとみごとな馬だろう！

b. 名詞的用法

was für einer	was für eine	was für ein[e]s	was für welche
(was für eines)	(was für einer)	(was für eines)	(was für welcher)
was für einem	was für einer	was für einem	was für welchen
was für einen	was für eine	was für ein[e]s	was für welche

代名詞

Gestern habe ich mir ein Buch gekauft. — **Was für eins?** — Einen Krimi. 昨日本を買ったよ. — どんな本をだい? — 推理小説さ.
Wir brauchen Hefte. — **Was für welche?** — Linierte [Hefte]. 我々はノートが必要だ. — どんなのが? — 罫線入りのが.

3. welcher, welche, welches; welche?　どの?, どれ?

付加語としても名詞的にも用いられ, どちらの場合も dieser 型の変化をする. welcher は特定の人・物を問う疑問代名詞なので, 答えには原則として定冠詞つき名詞が用いられる.

Mit **welcher** Straßenbahn fährt man zum Bahnhof? — Mit der Linie 8. 駅へはどの市電で行くのですか? — 8 番の電車です.

Welcher ist dein Onkel? — Der im grauen Anzug.　どの人が君の叔父さんですか? — あのグレーの背広を着た人です.

a. 中性形 welches が名詞的に用いられ, 動詞 sein の主語となるときは, 述語内容語の性・数に関係なく用いられる.

Welches *sind* deine Bücher?　どれが君の本ですか?

b. welch ein- という形がある. 感嘆文で用いられることが多い.
Welch eine reizende Dame ist sie!　彼女はなんとチャーミングな女性なんでしょう.

H. 関係代名詞

関係代名詞には der, welcher と wer, was がある.

1. der, die, das; die /welcher, welche, welches; welche

der は指示代名詞 der の名詞的用法と同じ変化をする (92 頁). welcher は dieser 型の変化をするが, 2 格は用いられない. der も welcher も意味用法上の区別はないが, 口語では welcher はあまり用いられない.

	m.	*f.*	*n.*	*pl.*
1 格	..., **der**	..., **die**	..., **das**	..., **die**
2 格	..., **dessen**	..., **deren**	..., **dessen**	..., **deren**
3 格	..., **dem**	..., **der**	..., **dem**	..., **denen**
4 格	..., **den**	..., **die**	..., **das**	..., **die**

	m.	*f.*	*n.*	*pl.*
1 格	…, welcher	…, welche	…, welches	…, welche
2 格	(…, dessen)	(…, deren)	(…, dessen)	(…, deren)
3 格	…, welchem	…, welcher	…, welchem	…, welchen
4 格	…, welchen	…, welche	…, welches	…, welche

a. 関係代名詞の性・数は先行詞と一致し，格は関係文中での役割によって決まる．関係文は副文であるから，定動詞は文末におかれ，主文と関係文とのあいだは必ずコンマで区切り，いわゆる限定〈制限〉用法，継続〈非限定〉用法の別はない．なお英語と異なり，関係代名詞は省略されない．

Der Mann, **der** dort steht, ist unser Lehrer. あそこに立っている男の人は，私たちの教師です．

Der Mann, **dessen** Bild ich Ihnen gezeigt habe, ist Herr Müller. 私があなたに見せた写真の男性はミュラー氏です．

Der alte Mann, **dem** ich geholfen habe, hat mir nicht einmal gedankt. 私が手助けをしてやった老人は，私に礼も言わなかった．

Der Mann, **den** ich heute besuchen möchte, ist mein alter Nachbar. 私が今日訪ねようと思っている男は，私の昔の隣人です．

b. 関係代名詞は上例のように関係文の先頭に立つが，前置詞だけは関係代名詞の前におかれる．

Suchen wir ein Café, **in dem** keine Musik gespielt wird! 私たちは店内で音楽を流していない喫茶店を捜そう．

◆ 先行詞が場所・時などの場合は，関係副詞 wo による書き換えが可能である (121 頁)．また先行詞が物・事の場合には «wo[r]-＋前置詞» として融合形 (96 頁) を用いることもあるが，あまり用いられない：

Dort ist *die Schule*, **in der** (=wo) ich Deutsch gelernt habe. あそこに私がドイツを習った学校がある．

Das ist *die Schreibmaschine*, **mit der** (稀に womit) er diesen Brief geschrieben hat. これが，彼がこの手紙を書いたタイプライターだ．

c. 代名詞を先行詞とすることもある．

Ich kenne *niemanden*, **der** dümmer ist als er. あいつより馬鹿な奴を知らない．
Derjenige, **der** das getan hat, soll sich melden. それをやった者は，申し出なさい．

◆ 先行詞が人称代名詞の 1 人称・2 人称で，かつそれが関係文中で 1 格とな

代名詞

　　　る場合は，この人称代名詞を関係代名詞の次に繰り返すことが多い（敬称 Sie の場合は必ず繰り返す）．その場合，関係文中の定動詞の形は繰り返した人称代名詞と一致させる：
　　　Ich, **der** ⟨**die**⟩ *ich* schon zehn Jahre hier *wohne* (＝Ich, **der** ⟨**die**⟩ schon zehn Jahre hier *wohnt*), habe den Kerl nie gesehen. もう10年もここに住んでいる私だが，そんな奴は見たことがない．| Ich danke *Ihnen*, **der** ⟨**die**⟩ *Sie* mir geholfen *haben*. お手伝いいただいたあなたに感謝いたします．

d. 《es ist x》の構文で，es に関係文がかかる場合，関係代名詞の性・数は，es に合わせて中性単数とはせず，述語内容語(x)に合わせる．

　　Es war Karl, **der** das Schweigen brach. 沈黙を破ったのはカルルだった．| *Es waren* meine Eltern, **die** mir das Geld geschickt haben. 私に金を送ってくれたのは，私の両親だった．

2. **wer** …する人［は誰でも］，**was** ［およそ］…するところの物⟨こと⟩
《不定関係代名詞》と呼ばれ，変化は疑問代名詞 wer, was と同じ．(96頁)

a. wer は《不特定の人》を表わし，先行詞はとらない．wer による関係文は主文に先行することが多く，後続する主文の文頭に男性の指示代名詞 der (dessen, dem, den) をおく．ただし wer — der (ときには wen — den) という対応の場合には，指示代名詞は省略しうる．

　Wer jetzt kauft, [**der**] kauft 20% (Prozent) billiger.　いまお求めになる方は，20パーセントのお買得です．
　Wen wir lieben, [**den**] möchten wir nicht verlieren.　愛する人を，我々は失いたくない．
　Wem du hilfst, **der** ist dir oft undankbar.　君が援助しているその人が，君に感謝していないことがよくある．
　Wessen Herz rein ist, **der** lebt ohne Sorge.　心清き人は，煩いなく暮らす．

b. was は《不特定の事物》を表わし，先行詞をとる場合ととらない場合がある．
1） 先行詞をとる場合．　中性の代名詞 (alles, etwas, nichts, vieles, manches, das 等) や中性名詞化された形容詞(特に最上級)を先行詞とする：
　Ich habe *alles*, **was** ich brauche.　私は必要なものは，みんな持っている．
　In diesem Geschäft gibt es *nichts*, **was** mir gefällt.　この店には，私の気に入ったものが，何もない．
　Das ist *das Schönste*, **was** ich je gesehen habe.　これは私がこれまでに見たもののなかで，最もすばらしいものだ．

2) **先行詞をとらない場合.** この場合, was による関係文は主文に先行することが多く, 後続する主文の文頭に中性の指示代名詞 das (dessen, dem, das) をおく. ただし was — das という対応のとき, das は省略されることが多い:
Was Sie gesagt haben, ist vollkommen richtig. あなたの言ったことは, 完全に正しい.
- ◆ 関係文が主文の後に来ることもある: Ich habe getan, **was** ich nicht lassen konnte. 私は放っておけないことを, したまでです.
- ◆ 「…に関して言えば」の意味での用法 ⇒ 補遺 153 頁

3) was は前文の内容を受けることがある:
Er konnte nicht mitfahren, **was** *allen leid tat.* 彼はいっしょに行けなかった. それをみんなが残念がった.
Er bat mich, ihr 10 Euro zu leihen, **was** *ich auch tat.* 彼女に 10 ユーロ貸してやれと彼は私に頼んだ, そして私はそうしてやった.

4) was が前置詞を伴う場合は, 《**wo[r]**-+前置詞》となる:
Rede nicht von etwas, **wovon** (von was は不可) du nichts verstehst! 君が理解していないことについては話すな.

I. 不定代名詞(不定数詞も含む)

不特定の人や事物を漠然と表現するための代名詞で, 次の二種類がある.

1) **名詞的にのみ用いられるもの**: **man** 人; **jedermann** 誰でも; **jemand** 誰かある人; **niemand** 誰も…でない; **etwas** ある物〈こと〉; **nichts** 何も…ない.
2) **名詞的にも付加語としても用いられるもの**: **alle[s]** すべて; **einer** ある人〈物〉, 一人, ひとつ; **keiner** 誰〈何〉も…ない; **viel** 多く; **wenig** 少し; **mancher** いくつか; **jeder** どれも, 誰でも.

1. 名詞的にのみ用いられるもの

man	jedermann	jemand	niemand	etwas	nichts
(eines)	jedermanns	jemand[e]s	niemand[e]s		
einem	jedermann	jemand[em]	niemand[em]	etwas	nichts
einen	jedermann	jemand[en]	niemand[en]	etwas	nichts

a. man

man は漠然と《人》を表わす. 1 格以外の形をもたないので, 2 格以下の格が必要な場合には einer の変化形で代用する (103 頁). 2 格はほとんど用いられない. man は er で受けることができず, man を何度でも繰り返す. ただし所有

代 名 詞

代名詞は sein, 再帰代名詞は sich である.
Darf **man** hier parken? ここに駐車していいですか?
Wenn **man** *sich* erkältet hat, sollte **man** nicht ausgehen. 風邪をひいたら, 外出すべきではない.
Was **man** gern tut, das fällt **einem** nicht schwer. 好きですることは, つらくない.
Im Ausland denkt **man** oft an *seine* Heimat. 外国にいるとよく自分の故郷を思うものだ.
♦ 上例のように, man は訳文には現われないことが多い.

b. jedermann 誰でも

Deutsches Wörterbuch für **jedermann** みんなのためのドイツ語辞典
Diese modernen Möbel sind nicht **jedermanns** Sache 〈Geschmack〉. これらのモダンな家具類は万人向きのものではない.

c. jemand 誰かある人/ **niemand** 誰も…でない

Ist **jemand** da? — Nein, da ist **niemand**. 誰かそこにいますか? — いいえ, 誰もいません.
Wir suchen **jemand**[en], *der** Deutsch sprechen kann. 私たちはドイツ語を話せる人を捜しています.
♦ * 関係代名詞, 指示代名詞などで受けるときは «男性» として扱う.

d. etwas 何かあるもの/ **nichts** 何も…ない

1) **etwas, nichts は無変化で単数形のみ. 事物に関して用いられる**:
Er hat **etwas** 〈**nichts**〉 gesagt. 彼は何か言った〈何も言わなかった〉.
Ich weiß **etwas** 〈**nichts**〉 davon. 私はそれについていくらか知っている〈何ひとつ知らない〉.
Haben Sie **etwas** 〈**nichts**〉 zu essen? 何か食べるものはありますか?〈何も食べるものはないのですか?〉

2) **中性名詞化された形容詞とともに**(116頁):
Gibt's **etwas** *Neues*? — Nein, **nichts** *Besonderes*. 何か変わったことがありますか? — いいえ, 特にこれと言って何も.

3) 日常語では etwas の代わりに was という短縮形がよく用いられる:
Hast du **was** zu sagen? 何か言うことがあるかい?
Da ist **was** passiert. あそこで何かが起こった.

4) so [et]was は日常語で solches の代わりにしばしば用いられる. (95頁)

不定代名詞

2. 名詞的にも付加語としても用いられるもの

**a. einer, eine, ein[e]s ある人〈物〉, ひとり, ひとつ/
keiner, keine, kein[e]s; keine 誰〈何〉も…ない (einer の否定形)**

名詞的用法ではいずれも dieser 型の変化をする(94頁). ただし中性1格・4格には eins/keins の形もある. einer の複数形はないので, 複数形が必要な場合には welche を代用する. 付加語として用いられる場合は, einer は不定冠詞 ein (65頁) となり, keiner は否定冠詞 kein (67頁) となる.

	m.	f.	n.	pl.	m.	f.	n.	pl.
1格	einer	eine	ein[e]s	(welche)	keiner	keine	kein[e]s	keine
2格	eines	einer	eines	(welcher)	keines	keiner	keines	keiner
3格	einem	einer	einem	(welchen)	keinem	keiner	keinem	keinen
4格	einen	eine	ein[e]s	(welche)	keinen	keine	kein[e]s	keine

1) 既出の名詞(多くは不定冠詞つき)を受けて:
   Hast du ein Auto? — Ja, ich habe **ein[e]s**. 〈Nein, ich habe **kein[e]s**.〉君は車を持っているかい? — ええ, 持っています.〈いいえ, 持っていません.〉
   Sind schon Zuschauer da? — Ja, es sind **welche** hier.〈Nein, noch **keine**.〉もう観客は来ているかい? — ええ, 何人かは.〈いいえ, まだ一人も.〉

2) 既出の名詞を受けるのではなくて, 単独で用いられる場合:
   Damals hat mir **keiner** 〈nur **einer**〉 geholfen. あのころ誰一人私を助けてくれなかった〈助けてくれたのはただ一人だけだった〉.
   Ein[e]s darf man nicht vergessen. ひとつ忘れてはならないことがある.
   Wir nahmen an **einem** der Tische Platz. 我々はテーブルの一つに着席した.
   Einer 〈**Eine**〉* von uns beiden muss gehen. 私たち二人のうちのどちらか一人が行かなければならない.

   ♦* 男なら einer, 女なら eine となる.

   Sie kommen **einer** nach dem andern. 彼らは次から次へとやって来る.

3) einer は定冠詞とともに **der** 〈**die/das**〉 **eine** — **der** 〈**die/das**〉 **andere** や **die einen** — **die anderen** の形で「一方は…他方は…」の意味で用いられる. このとき einer は形容詞の弱変化をする:
   Wer sind die Frauen dort? — **Die eine** ist meine Tante, **die andere** kenne ich nicht. あそこにいる女性たちは誰ですか? — 一人は私の叔母ですが, もう一人は知りません.
   Die einen lobten ihn, **die anderen** kritisierten ihn. 彼をほめる人たちもいれば, 彼を批判する人たちもいた.

代名詞

b. jeder, jede, jedes どの人〈物〉もみんな, おのおのの
dieser 型の変化をし, 常に単数で用いる.
1) 名詞的用法:
Hier kennt **jeder** jeden. ここでは誰もがみんな知り合いだ(みんながみんなを知っている).
Jeder von uns weiß das. 我々みんながそれを知っている.
2) 付加語としての用法:
Er fährt **jeden Tag** mit dem Bus ins Büro. 彼は毎日バスで通勤している.
Ich komme auf **jeden Fall**. 私はいずれにせよ参ります.
3) 序数とともに用いられると「…ごとに」の意味になる(**d.**5))
Er kommt **jeden dritten Tag** (=alle drei Tage). 彼は3日ごとに来る.

c. mancher, manche, manches; manche いくつかの(人・物), (viel ほどではないが)かなりの数の(人・物)
dieser 型の変化をし, 単数形でも複数形でも用いられる.
1) 名詞的用法:
Haben alle Fernzüge einen Speisewagen? — Nein, nicht alle, **manche**. 長距離列車にはすべて食堂車がついていますか? — いいえ, 全部ではありません. かなりあるけれど.
Ich habe schon **manches** erlebt, was mich traurig macht. 私はすでに私を悲しませるいくつかのことを経験した.
2) 付加語としての用法:
Ich habe in **mancher** Stadt gewohnt. 私はいくつかの町に住んだ.
Manche Menschen essen Fische nicht gern. 魚を好まない人も相当いる.
Manches Problem ist noch zu lösen. まだ解決しなければならない問題がいくつかある.
3) ほかに manch ein- という形がある. ein は名詞的用法では einer の変化, 付加語としての用法の場合は不定冠詞の変化:
Manch einer von ihnen ist nicht wieder zurückgekehrt. 彼らのうち何人かは二度と戻らなかった.
Manch eine Person 少なからぬ人たち

d. aller, alle, alles; alle すべての(人・物)
dieser 型の変化をする. 男性・中性の2格は今日では -en となることが多い:
Geiz ist die Wurzel **allen** ⟨**alles**⟩ Übels. 吝嗇は災いの根元である.
1) 単数形・複数形の使い分け.
(a) 数えられるものについては, ふつう複数形 alle が用いられる:

Alle *Züge* haben Verspätung. 列車は全部遅延している.
Sind **alle** schon da? みんなもう来ていますか?

(b) 単数形はふつう数えられないもの(物質名詞・抽象名詞など)について用いられる:
Er hat **alles** *Geld* verloren. 彼は有り金全部をなくした.
Trotz **aller** *Mühe* hatte er keinen Erfolg. あらゆる努力にもかかわらず彼は成功しなかった.

(c) 中性単数形 alles が単独で名詞的に用いられると「すべてのこと〈もの〉」を表わす.また「全員」の意味で人を表わすこともある:
Alles ist in Ordnung. すべてオーケーだ.
Alles einsteigen! みなさん,御乗車ください.

 ◆ 中性形はしばしば熟語に用いられる: **vor allem** 何よりもまず, **alles in allem** 要するに,等.

2) alle が定冠詞・指示代名詞・所有代名詞の前に来るとき,無語尾になることが多い:
All[e] meine Mühe war vergebens. 私の苦労はすべてむだだった.
Hast du all[e] diese Bücher gelesen? 君はこれらの本を全部読んでしまったのですか?

3) all- は同格語として,代名詞の直後や定動詞の直後におかれることがある:
Wir **alle** sind 〈Wir sind **alle**〉 damit einverstanden. 我々はみんなそれに同意している.
Das **alles** habe ich erst jetzt erfahren. そのことは全部いま初めて知った.
Die Schüler sind **alle** nach Hause gegangen. 生徒は全員下校した.

4) 中性単数形 alles が,中性名詞化された形容詞とともに用いられることがある.この場合,名詞化された形容詞は弱変化がふつうである:
Ich wünsche dir **alles** *Gute*. 私は君の健康を祈っている.

5) 数量を表わす語を伴って「…ごとに」の意味になる(**b.**3))
Die Straßenbahn fährt **alle** *zehn Minuten*. 市電は10分間隔で運行している.
Damals kam er **alle** *zwei Tage*. 当時,彼は2日ごとに来ていた.

e. **viel** 多くの(人・物)／ **wenig** わずかの(人・物)

1) 単数形の用法(無語尾の形で用いられることが多い).

(a) 名詞的用法.中性単数形 viel[es], wenig[es] のみが用いられる:
Darüber habe ich **viel**[es] zu sagen. それに関しては私はたくさん言うことがある.
Er weiß sehr **viel**〈**wenig**〉 davon. 彼はそれについて非常によく知っている〈ご

代 名 詞

〈わずかしか知らない〉.
- ◆ 一般に無語尾の形は《量・程度》を，語尾をもつ形は《数》を表わすとされている.

(b) **付加語としての用法**. 主に物質名詞・抽象名詞とともに用いられる:
Vielen *Dank* für das Geschenk! プレゼントをどうもありがとう.
Ich esse **viel** *Gemüse* und **wenig** *Fleisch*. 私は野菜をたくさん食べ，肉はあまり食べない.
Das hat uns **viel**[e] 〈nicht **wenig**[e]〉 *Mühe* gekostet. それは多大の〈少なからぬ〉労苦を要した.
Er kam mit **viel** 〈**wenig**〉 *Gepäck*. 彼は多くの〈わずかの〉荷物を持ってやって来た.

2) **複数形の用法**(語尾をもつ形が多く用いられる).
(a) **名詞的用法**. 既出の名詞を受ける場合と，単独で用いられる場合がある:
Haben Sie Schallplatten? — Ja, sehr **viel**[e]. 〈Ja, aber nur **wenig**[e].〉 レコードをお持ちですか？— はい，たくさん持っています.〈はい，でもほんの数枚です.〉
Das wissen sehr **viele** 〈nur **wenige**〉. それを知っている人は大勢いる〈ごくわずかしかいない〉.

(b) **付加語としての用法**:
Er hat **viele** *Bücher*. 彼は蔵書家だ.
Der Zug fährt in **wenigen** *Minuten* ab. この列車はまもなく発車いたします.

3) 中性名詞化した形容詞とともに用いられる viel, wenig は無変化 (116 頁):
In diesem Buch steht **viel** *Neues*, aber **wenig** *Interessantes*. この本には新しいことはたくさん書いてあるが，興味のあることはあまりない.

4) 比較級 mehr, weniger は常に無語尾で用いられる:
Ich habe **mehr** Erfahrungen als du. 私は君より経験が多い.
Du musst mit **weniger** Geld auskommen. 君はもっと少ない金でやっていくべきだ.

5) **ein wenig**「いくらか，ちょっと」. ふつう無語尾で用いられる. wenig のみでは「少ししかない」という否定的意味合いが強いのに対して，ein wenig, および複数形 wenige は「少しはある」という肯定的な意味合いをもつ:
Hast du **ein wenig** *Zeit* für mich? ちょっと時間をいただけますか？
Ich habe heute **wenig** *Geld* bei mir. きょうはあまり金の持ち合わせがない.
Ich spreche **ein wenig** Deutsch. 私はいくらかドイツ語を話せる.
Er spricht **wenig** Deutsch. 彼はほとんどドイツ語が話せない.

V. 形　容　詞

形容詞は事物の性質や状態を述べ，通常次の三つの用法がある.

1) 述語内容語として：
   Sie ist **schön**.　彼女は美しい.
2) 名詞への付加語として：
   Sie ist ein **schönes** Mädchen.　彼女は美しい少女だ.
3) 副詞として：
   Sie singt **schön**.　彼女は歌がうまい.

上の用法のうち，名詞への付加語として用いられる形容詞は，名詞の性・数・格に応じて変化をする.

1. 付加語としての形態と用法

形容詞も名詞の性・数・格を明らかにするために格変化をする. 形容詞の前に冠詞類があるかないか, またその冠詞類の種類によって次の三種類の変化がある.

a.　定冠詞〈dieser 型〉+形容詞+名詞　（いわゆる《弱変化》）

		古い背広 (*m.*)	新しい上着 (*f.*)	青いドレス (*n.*)
単数	1 格	der alt**e** Anzug	die neu**e** Jacke	das blau**e** Kleid
	2 格	des alten Anzugs	der neuen Jacke	des blauen Kleides
	3 格	dem alten Anzug	der neuen Jacke	dem blauen Kleid
	4 格	den alten Anzug	die neu**e** Jacke	das blau**e** Kleid

		赤い靴 (*pl.*)
複数	1 格	die roten Schuhe
	2 格	der roten Schuhe
	3 格	den roten Schuhen
	4 格	die roten Schuhe

Der neue Anzug gefällt mir sehr. この新しい背広はとても私の気に入っている. | Der Preis **dieses** roten Kleides ist unerhört. この赤いドレスの値段はむちゃくちゃだ. | Zu **dieser** neuen Jacke passt **die** alte Krawatte nicht gut. この新しい上着にはその古いネクタイは似合わない. | Wo haben Sie **diese** schönen Schuhe gekauft? どこであなたはこのきれいな靴を買ったのですか?

形容詞

b. 不定冠詞〈mein 型〉＋形容詞＋名詞　（いわゆる《混合変化》）

不定冠詞および mein 型の語は男性1格，中性1・4格に語尾を欠くので，形容詞がその3個所のみ dieser 型の語尾となる．それ以外は前頁の変化に同じ．

	古い背広 (m.)	新しい上着 (f.)	青いワンピース (n.)
1 格	ein alt**er** Anzug	eine neue Jacke	ein blau**es** Kleid
2 格	eines alten Anzugs	einer neuen Jacke	eines blauen Kleides
3 格	einem alten Anzug	einer neuen Jacke	einem blauen Kleid
4 格	einen alten Anzug	eine neue Jacke	ein blau**es** Kleid
	彼女の赤い靴 (pl.)		
1 格	ihre roten Schuhe		
2 格	ihrer roten Schuhe		
3 格	ihren roten Schuhen		
4 格	ihre roten Schuhe		

Mein kleiner Bruder ist **ein** liebes Kind. 私の弟はいい子だ．| Mit **seinem** neuen Auto fuhr er nach Heidelberg. 彼は彼の新車でハイデルベルクへ行った．| Wir machen **keine** großen Parties mehr. 私たちはもう大きなパーティーはやりません．

c. 形容詞＋名詞　（いわゆる《強変化》）

形容詞の前に名詞の性・数・格を示す語がないので，形容詞が dieser 型の変化をする．ただし男性・中性の2格は **-en** となる．

	赤ワイン (m.)	新鮮な牛乳 (f.)	冷たいビール (n.)	美しいコップ (pl.)
1 格	roter Wein	frische Milch	kaltes Bier	schöne Gläser
2 格	rot**en** Weins	frischer Milch	kalt**en** Biers	schöner Gläser
3 格	rotem Wein	frischer Milch	kaltem Bier	schönen Gläsern
4 格	rot**en** Wein	frische Milch	kaltes Bier	schöne Gläser

Wir trinken gern japanisch**en** Tee. 私たちは日本茶が好きだ．
Im Garten blühen rote Rosen. 庭に赤いばらが咲いている．
Er hatte groß**en** Erfolg. 彼は大成功を収めた．

♦　形容詞の前に無変化の語（例えば solch, welch, viel, wenig など）が来る場合にも，上表の変化をする：*Solch* schön**es** Wetter hat man im Winter nur selten. こんなよい天気は冬にはごくめずらしい．| Hier gibt es *viel* gutes Essen. ここにはおいしいものがたくさんある．

d. 形容詞の語尾変化に関する注意.

1) **-el** に終る形容詞は語尾変化のさいに, 語幹の -e- を落す:
   dunk*e*l 暗い → dunk**les** Bier 黒ビール | im dunk**len** Wald 暗い森の中で
2) **-er, -en** に終る形容詞は, 語幹の -e- を落す場合と, 落さない場合がある:
   heit*e*r 朗らかな → an einem heit[e]**ren** Tag ある晴れた日に
   teu*e*r 高価な   → die teu[e]**ren** Kleider 高価な衣服
   bescheid*e*n 謙虚な → ein bescheid[e]**ner** Mensch 謙虚な人
3) **hoch** 「高い」は付加語的用法では, 語幹が **hoh**- (-ch- が -h-) になる:
   Der Berg ist **hoch** [hoːx]. その山は高い. → ein **hoher** [ˈhoːər] Berg 高い山.
4) 名詞に二つ以上の形容詞が付加される場合, 原則として同一の語尾になる:
   die gut**en**, alt**en** Zeiten 古きよき時代
   die schön**e**, alt**e** Stadt 美しい古い町
   Ein glücklich**es** neu**es** Jahr! 新年おめでとう(幸福な新しい年を).
   ◆ 二つ[以上]の形容詞が同じ比重で名詞を修飾するときは, 形容詞の間にコンマを打ち, 最後の形容詞が名詞と結びついて一つのまとまった概念を表わすときは, コンマを打たない (ein breit**er**, tief**er** Graben 広くて深い溝, dunk**les** bayrisch**es** Bier 黒いバイエルンビール).
5) 二つ以上の形容詞が結合して一概念をなすような場合は, 最後の形容詞だけが変化する. それらの形容詞は一語の合成語とするか, あるいはハイフン (-) で結ばれることが多い:
   die königlich preußisch**e** Flagge プロイセン王国の国旗
   nasskaltes Wetter 湿っぽく冷たい天気
   die bayrisch-österreichisch**e** Mundart バイエルン・オーストリア方言
6) ふつう複数で用いられる alle, andere, beide, einige, manche, mehrere, sämtliche, solche, verschiedene, viele, wenige などは, 不定代名詞とも不定数詞とも呼ばれるが, 不定代名詞と見なされれば dieser 型としての扱いを受け, これに続く形容詞は弱変化をする (107 頁). 不定数詞とすれば, 一種の形容詞扱いで, これに続く形容詞と同一の変化をする. しかし語によっても異なり, かなり混乱しているようである:

   いくつかの美しい花 (*pl.*)
   1 格   einige   schöne[**n**] Blumen
   2 格   einiger schön**en** Blumen 〈einiger schön**er** Blumen〉
   3 格   einigen schön**en** Blumen
   4 格   einige   schöne[**n**] Blumen

形 容 詞

7) 形容詞が付加された名詞に人称代名詞が同格として先行する場合は，原則として形容詞は強変化であるが，単数3格，複数1格・4格でしばしば弱変化となることがある：
ich armer Arbeiter 貧しい労働者である私 → *mir* arm**em** ⟨arm**en**⟩ Arbeiter
ihr jung**e** ⟨jung**en**⟩ Studenten 君たち若い学生諸君

8) 形容詞＋名詞化形容詞については117頁参照．

9) 付加語形容詞が無変化になる場合．

(a) 地名＋**-er** の形容詞（頭文字は大文字書き）：
Frankfurt**er** Würstchen フランクフルト・ソーセージ | Salzburg**er** Festspiele ザルツブルク音楽祭 | Potsdam**er** Abkommen ポツダム協定

(b) 基数 **-zig**⟨**-ßig**⟩**+-er** で「…十年代」を表わす：
in den 80**er** (=achtziger) Jahren [19]80年代に | eine Frau in ihren 30**er** (=dreißiger) Jahren 三十代の女性

(c) **-a** に終る外来語形容詞（色彩を表わすものが多い）：
ein **rosa** Rock ピンクのスカート | die **lila** Handschuhe 藤色の手袋 | **prima** Waren 極上の商品

(d) 単数で用いられる viel, wenig (105頁)，比較級 mehr, weniger (106頁) および genug など：
viel ⟨**mehr/wenig/weniger/genug**⟩ Geld 多くの⟨より多くの/わずかの/よりわずかの/充分な⟩お金

(e) 無冠詞で，中性の地名などの前に置かれた ganz, halb（定冠詞がついたときは変化する）：
ganz Japan 日本じゅう | **halb** ⟨*das* halb**e**⟩ Hameln ハーメルンの［人々の］半ば

(f) 慣用句・諺などで，形容詞が強変化の中性1格・4格で語尾を省略することがある：
Unrecht Gut gedeiht nicht. 悪銭身につかず（不正な富は栄えない）．| ein **gut** Teil 相当部分，かなり | auf **gut** Glück 運を天に任せて．

(g) 名詞の後に置かれた形容詞は変化しない：
tausend Euro **bar** 現金で千ユーロ | mein Vater **selig** 私の亡父 | Röslein **rot** (Goethe) 赤いばら．

　◆　次のような場合は，形容詞は名詞への付加語ではなく，次の形容詞を規定するいわゆる《副詞的用法》である：die **schön** geschminkten Frauen きれいにお化粧した婦人たち（参照：die schön**en**, geschminkten Frauen きれいな，お化粧した婦人たち）．

　◆　次のような名詞化形容詞の前に置かれた形容詞も，副詞的用法であるので

注意すること：*etwas* typisch Deutsches 典型的にドイツ的なもの（参照：*ein* typischer Deutscher 典型的なドイツ人）

2. 述語内容語としての用法（語尾変化はしない）

1) sein, werden, bleiben などとともに用いられて，主語の状態・性質などを表わす：
 Er ist ⟨wird/bleibt⟩ **krank**. 彼は病気だ〈病気になる/いまなお病気だ〉.
 ◆ 述語内容語としての形容詞が語尾変化をしているように見えることがあるが，これは規定すべき名詞が省略されたもので，本来は付加語的用法である：Diese Probleme sind öffentliche, keine priva**ten**. これらの問題は公共の問題であって，個人の問題ではない.
2) finden, machen, betrachten などとともに用いられて，4格目的語の状態・性質などを表わす：
 Ich finde moderne Musik **langweilig**. 私は現代音楽は退屈だと思う.
 Das macht mich **verrückt**. 気が変になりそうだ（それは私を狂わせる）.

3. 副詞としての用法（語尾変化はしない）（119 頁）

Sie singt **schön**. 彼女は美しく歌う.
Sprechen Sie bitte **langsam**！ ゆっくり話してください.
Er ist ein **wirklich** guter Mensch. 彼は本当にいい人だ.
Seine Rede ist **schrecklich** langweilig. 彼の話はおそろしく退屈だ.

4. 形容詞の比較変化

あるもの〈事柄〉の属性を他と比較して，「より…である」とか，「もっとも…である」という表現に用いるのが，形容詞の《**比較級**》および《**最上級**》である. （これらに対してもとの形を《**原級**》という）

a. 比較変化の形態.

	原級	比較級	最上級		原級	比較級	最上級
	—	—**er**	—**[e]st***		—	¨**er**	¨**[e]st***
小さい	klein	kleiner	kleinst	長い	lang	länger	längst
澄んだ	klar	klarer	klarst	古い	alt	älter	ältest

◆ ＊ 最上級はそのままの形で用いられることはなく，定冠詞を伴い，語尾変化するのが普通である.

形 容 詞

b. 比較変化に関する注意.

1) 幹母音 a, o, u をもつ一音節の形容詞には，比較級・最上級で変音するものがある：alt 古い，年取った，arg ひどい，arm 貧しい，hart 固い，kalt 寒い，冷たい，krank 病気の，lang 長い，nah* 近い，scharf 鋭い，schwach 弱い，stark 強い，warm 暖かい；grob 粗い，groß* 大きい，hoch* 高い；dumm 愚かな，jung 若い，klug 賢い，kurz 短い.

   ◆ * 不規則な変化をするので注意. (113 頁)

   ◆ 幹母音 au のものは変音しない：laut 声高の，faul 怠惰な.

2) 変音する形と変音しない形の両方をもつものもある：blass 青白い，fromm 敬虔な，glatt 滑らかな，nass 濡れた，schmal 狭い.

   ◆ 二音節の形容詞で変音することもあるのは gesund「健康な」一語.

3) 原級が -d, -t, -s, -ss, -ß, -sch, -x, -z, -tz に終る形容詞の最上級は —**est** となる：
   laut — lauter — laut**est** 声高の　　　spitz — spitzer — spitz**est** 尖った
   süß — süßer — süß**est** 甘い

   ◆ 原級が -d, -t, -sch に終る形容詞の最上級には —**est**/—**st** の両形があり，特にアクセントが最後の音節にない二音節以上のものは —**st** になることが多い：
   mild — milder — mild[**e**]**st** 穏やかな
   rasch — rascher — rasch[**e**]**st** 素早い
   reizend — reizender — reizend**st** [発音：ライツェンツト] 魅力ある
   gebildet — gebildeter — gebildet[**e**]**st** 教養ある

4) 原級が複母音，母音+h に終る形容詞の最上級も —**est**/—**st** の両形をもつ：
   frei — freier — frei[**e**]**st** 自由な
   froh — froher — froh[**e**]**st** 快活な

5) 原級が -el で終る形容詞は，比較級で語幹の -e- を落してから —**er** をつける：
   dunk**e**l — dunkler — dunk**e**lst 暗い
   ed**e**l — edler — ed**e**lst 高貴な

6) 原級が -er, -en に終る形容詞は，語幹の -e- を落すことも落さないこともある．特に付加語的に用いられて，さらに語尾がつくような場合には語幹の -e- は省略されることが多い：
   teu**e**r — teu[**e**]rer — teu**e**rst 高価な
   trock**e**n — trock[**e**]ner — trock**e**nst 乾燥した
   bei heit[**e**]rerem Wetter もっといい天気のときには
   ein bescheid[**e**]nerer Mensch より謙虚な人

112

形容詞

c. 不規則な比較変化をする形容詞.

	原級	比較級	最上級		原級	比較級	最上級
よい	gut	**besser**	**best**	大きい	groß	**größer**	**größt**
多い	viel	**mehr**	**meist**	高い	hoch	**höher**	**höchst**
少ない	wenig*	**weniger wenigst** **minder mindest**		近い	nah	**näher**	**nächst**

♦ * 比較級,最上級は weniger, wenigst のほうが一般的である.

5. 原級による比較の用法(同等比較)

1) 二つのものの属性が同じ程度であることを表わすには《**so＋原級＋wie**...》を用いる. 同程度の強調に ebenso, genauso を添える:
Hans ist **so alt wie** Peter. ハンスはペーターと同じ年だ.
Hans ist **ebenso**〈**genauso**〉 **alt wie** Peter. ハンスはペーターと全く同年だ.
　否定形は《**nicht so＋原級＋wie**...》:
Er ist **nicht so alt wie** ich. 彼は私ほどの年齢ではない.
 ♦ doppelt「2倍」, dreimal「3倍」, halb「半分」などをつけた表現もある:
Die Ernte ist dieses Jahr **doppelt so groß wie** im vorigen Jahr. 今年は収穫が去年の2倍ほどである. | Mein Wagen ist **halb so teuer wie** Ihrer. 私の車はあなたの車の半値です.
 ♦ 《so＋原級＋als...》の形もあるが,今日では慣用的用法に残っているだけである: so bald als〈wie〉möglich「できるだけすぐ」| so lange als〈wie〉möglich「できるだけ長く」| sowohl ... als auch ...「...と同様に...も」.

2) 一つのものの二つの属性を比較して,その程度が等しいことを表わすには《**so＋原級＋wie＋原級**》:
Er ist **ebenso fleißig wie klug.** 彼は賢くもあり勤勉でもある.

6. 比較級による比較の用法

1) 述語内容語および状況語として.
(a) 二つのものの同一の属性を比較して,一方が他方より「より...である」ことを表わすには《**比較級＋als** ...》:
Gestern war es **wärmer als** heute. 昨日のほうが今日よりも暖かった.
Hans ist **größer als** Peter. ハンスはペーターより大きい.
 ♦ 口語では als の代わりに wie を用いることもある. また als の代わりに denn が用いられることもあるが,これは「...として」の意味の als との重複

を避けるためである.また denn は慣用句《比較級+denn je》にも見られる：Er ist *als* Schriftsteller **bekannter denn** *als* Gelehrter. 彼は学者としてよりも文筆家として名高い.｜Er arbeitet **härter denn je**, weil seine Frau ein Kind erwartet. 妻が妊娠しているので，彼はいっそう仕事に精出している.

- ◆ 比較級を強調して「はるかに…」というときには sehr ではなく, viel, weit などを用いる：Hans ist **viel größer als** Peter. ハンスはペーターよりはるかに大きい.

(b) 一方が他方より程度が「より低い」ことを表わすには《**weniger〈minder〉+原級+als** …》：
Sie ist **weniger fleißig als** ihre ältere Schwester. 彼女は彼女の姉ほど勤勉でない.

これの否定形《**nicht weniger+原級+als…**》は「…に劣らず；…と同様に」（＝so+原級+wie…）の意味になる：
Sie ist **nicht weniger fleißig als** ihre ältere Schwester. 彼女は彼女の姉に劣らず勤勉である.

- ◆ als のあとに形容詞でなく，数量を表わす語が来れば，「少なくとも…」の意味になる：Hier arbeiten **nicht weniger als** 10 Ausländer. ここには少なくとも 10 人の外国人が働いている.
- ◆ これに似た **nichts weniger als**… は「少しも…でない」という強い否定を表わす：Er war **nichts weniger als** *höflich*. 彼はまったく無作法である.

これは nichts anders als…「…にほかならない」の意味に用いられることがあるので,文脈に注意しなければならない：
Dieses Auto ist **nichts weniger als** ein Rennwagen.
（強い否定：）この自動車はレーシングカーなどではない.
（強い肯定：）この自動車はレーシングカー以外の何物でもない.

(c) 一つのものの二つの属性を比較して，一方が他方より程度が高いことを表わすには《**mehr〈eher〉+原級+als+原級**》，一方が他方より程度が低いことを表わすには《**weniger〈minder〉+原級+als+原級**》：
Er ist **mehr faul als unbegabt**. ＝ Er ist **weniger unbegabt als faul**. 彼は才能がないというよりは怠惰なのだ.

(d) 「しだいに，ますます」など，程度が漸増・漸減することを表わすには《**immer+比較級**》または《**比較級+und+比較級**》：
Die Tage werden **immer länger**. だんだん日が長くなる.
Die süßen Weine verkaufen sich **immer schlechter**. 甘いワインはだんだん売れなくなって来た.
Er fuhr **schneller und schneller**. 彼はますますスピードをあげた.

(e) 一方の属性の程度が高まるにつれ,他方の属性の程度も高まることを表わす場合には,《**je**+比較級, **desto**〈**umso**〉+比較級》を用いる(前半が副文,後半が主文である):

Je älter der Branntwein ist, **desto weicher** wird er.　ブランデーは古くなればなるほど,味はマイルドになる.

Je mehr er trank, **umso lustiger** wurde er.　彼は飲めば飲むほど愉快になった.

♦　《**umso**+比較級》のみを用いる場合もある: Der Winter war kalt, **umso schöner** ist der Frühling.　冬は寒かった,それだけますます春がすばらしい.

2)　比較級の付加語的用法.

原級の場合と同じく,名詞の性・数・格によって語尾変化する:
Ein **billigeres** Auto wäre mir lieber.　もっと安い車のほうが私にはいい.
Heute haben wir **schöneres** Wetter als gestern.　今日は昨日より天気がいい.

3)　比較級の絶対的用法.

比較する具体的対象がなく,ただ「比較的…である」ことを表わす用法:
ein **älterer** Mann[1]　年輩の男
eine **höhere** Schule[2]　高等学校
Er ist schon **längere** Zeit krank.　彼はもうかなり長いこと病気だ.
So etwas kommt **häufiger** vor.　こういうことはわりによく起こる.

♦　1)　原級による ein **alter** Mann は「老人」の意.
♦　2)　eine Hochschule は「大学」.

7.　最上級の用法

1)　述語内容語として.

der 〈**die/das**〉 —**ste**/**am** —**sten** の両形がある.どちらを用いてもよいが,比較する対象の性がまちまちで,どの性の定冠詞を選んでよいか迷う場合や,一つのもののある属性を,さまざまの条件の下で比較する場合には,必ず **am** —**sten** を用いる:

Er ist **der fleißigste** unter den Jungen unserer Klasse.　彼は私たちのクラスの男子のなかでいちばん勤勉だ.
Sie ist **die hübschste** von uns allen. 彼女は私たちみんなのうちでいちばんきれいだ.
Das Pferd ist klug, der Hund ist noch klüger, aber die Katze ist **am klügsten**.　馬は賢い,犬はもっと賢い,だが猫がいちばん賢い.
Die Tage sind im Winter **am kürzesten**.　昼間は冬がいちばん短い.

形容詞

2) 付加語として.

原級および比較級と同じく，後続の名詞の性・数・格に従って語尾変化する．ふつう定冠詞がつくことが多い：

der **älteste** Sohn 長男（いちばん上の息子）
Ich reise mit meinem **jüngsten** Sohn. 私は末の息子と旅行する.

3) 状況語として． 常に **am —sten** の形を用いる：

Sie sang **am schönsten**. 彼女がいちばん美しく歌った.
Wer trinkt **am meisten** von euch? 君たちのなかでいちばんたくさん飲むのは誰か？

4) 最上級の絶対的用法.

比較級の絶対的用法と同じように，ただ「程度がきわめて高い；きわめて…である」という意味に用いる最上級がある．付加語としてはしばしば無冠詞で，また状況語としては **aufs —ste** となる：

Liebster Sohn! 愛する息子よ！
Ich helfe Ihnen mit **größtem** Vergnügen. 喜んでお手伝いいたします.
Gestern war das **herrlichste** Wetter. きのうはすばらしい天気だった.
Ich danke Ihnen **aufs herzlichste/aufs Herzlichste**. 心からお礼申しあげます.

8.　形容詞の名詞化

形容詞は，大文字書きして名詞的に用いることができる．男性・女性・複数形は形容詞の示す性質の《人》を，中性形は形容詞の示す《もの・こと》を表わす.

	m. 病人（男）	*f.* 病人（女）	*pl.* 病人たち	*n.* 善
1格	der Kranke	die Kranke	die Kranken	das Gute
2格	des Kranken	der Kranken	der Kranken	des Guten
3格	dem Kranken	der Kranken	den Kranken	dem Guten
4格	den Kranken	die Kranke	die Kranken	das Gute
				［何か］美しいもの
1格	ein Kranker	eine Kranke	Kranke	[etwas] Schönes
2格	eines Kranken	einer Kranken	Kranker	
3格	einem Kranken	einer Kranken	Kranken	[etwas] Schönem
4格	einen Kranken	eine Kranke	Kranke	[etwas] Schönes

- ◆　形容詞の付加語的用法と同じ語尾変化をする．(107, 108頁)
- ◆　中性の場合は etwas, あるいは nichts, viel, wenig などとともに用いられ

ることが多い.
Verachtet *die* Arm**en** nicht！　貧しい人々を軽蔑してはいけない.
Die Streikend**en**[1] fordern eine Verkürzung der Arbeitszeit.　ストライキをしている人々は労働時間の短縮を要求している.
Der Klüger**e**[2] gibt nach.　より賢明な人のほうが譲歩するものだ.
In diesem Buch steht *viel* Neu**es**, aber *wenig* Interessant**es**.　この本には新しいことがたくさん書かれているが，面白いことはあまりない.
Was ist für Sie *das* Wichtigst**e**[2] im Leben?　あなたにとって人生でもっとも大切なことは何ですか？

- 1) 現在分詞・過去分詞も名詞化できる. (47-49 頁)
- 2) 比較級・最上級も名詞化できる.

名詞化された形容詞についての注意

1) 名詞化された形容詞の前にさらに付加語的形容詞がついた場合，原則として両方とも同一の語尾をとるが，名詞化形容詞が弱変化することもある：
die Reden bekannter Abgeordneter〈古：Abgeordneten〉　有名な議員たちの演説
mit schönem Äußerem〈Äußeren〉　美しい外観をもって

2) 一種の名詞化形容詞と考えられるが，習慣的に常に小文字書きのものもある：
der andere/ein anderer 別の男｜die andere/eine andere 別の女｜etwas anderes 何か別のこと. ただし：das Gleiche 同じこと｜das Folgende 次のこと.
Reden wir von etwas **anderem**！　何か別のことを話そうじゃないか.
Danke schön. Ich wünsche Ihnen **das Gleiche**.　ありがとう. あなたにも同じことがありますように.

3) 変化はせず，もっぱら《人》を表わし対句に用いられるものがある：
Alt und Jung 老いも若きも｜Arm und Reich 貧乏人も金持も｜Groß und Klein 大人も子供も｜Der Abstand zwischen Arm und Reich war damals groß. 当時は貧富の差が大きかった.

4) **国語を表わす中性の名詞化形容詞**. das Deutsche ドイツ語 (2 格 des Deutschen, 3 格 dem Deutschen, 4 格 das Deutsche) および [das] Deutsch (無変化)の両形がある. 同様に, das Englische 英語, das Japanische 日本語, das Russische ロシア語, および [das] Englisch, Japanisch, Russisch 等. 副詞として用いる場合は小文字：Sie unterhalten sich **englisch**. 彼らは英語で話す.

(a) 定冠詞のみがつくときは, das Deutsche の形が用いられ, 国語そのものを一般的に表わす：einen Roman aus **dem** Deutschen ins Japanische übersetzen ある小説をドイツ語から日本語に翻訳する.

(b) 形容詞またはその他の規定詞を伴う場合は語尾をとらない Deutsch を用い，何らかの意味で特定のドイツ語を表わす：das heutige Deutsch 今日のドイツ語 | Das Deutsch im 18. Jahrhundert 18世紀のドイツ語 | Sein Deutsch ist schlecht. 彼のドイツ語はへただ．

(c) 「ドイツ語で」などという成句としては auf Deutsch のように無変化：Wie heißt das **auf Deutsch** ⟨Japanisch/Englisch⟩? それはドイツ語⟨日本語/英語⟩で何と言いますか？

5) 「ドイツ人」を表わすには，名詞化形容詞を用いる：der Deutsche ⟨ein **Deutscher**⟩ (男)，die ⟨eine⟩ Deutsche (女)，die Deutschen (複数)．

„Deutschland und *die* Deutschen" (Th. Mann)『ドイツとドイツ人』．

♦ 国民名を表わすのに名詞化形容詞を用いるのは「ドイツ人」の場合だけで，der **Franzose** -n/-n 「フランス人」，der **Russe** -n/-n 「ロシア人」などは男性弱変化名詞である．女性形は die **Französin** -/-nen, die **Russin** -/-nen となる．

6) 特定の意味にしか用いられなくなった名詞化形容詞．たとえば bekannt には「よく知られた，有名な，知り合いの」などの意味があるが，der ⟨die⟩ Bekannte は「知人，知り合い」の意味にしか用いられないし，ins Grüne も必ず「戸外へ」の意味である．

また，女性形の名詞化形容詞で人以外のものを表わすものがある：
die Elektrische (Bahn) 電車 | die Rechte (Hand) 右手 | die Linke 左手
die Illustrierte (Zeitschrift) グラフ雑誌 | die Gerade (Linie) 直線
die Parallele 平行線

9. 形容詞の格支配

1) 2格支配の例：Er ist *des Mordes* **schuldig**. 彼は殺人の罪を犯している．
2) 3格支配の例：Darf ich *Ihnen* **behilflich** sein? お助けいたしましょうか？
3) 4格支配の例：Ich habe *ihn* **satt**. 私は彼にうんざりしている．
4) 前置詞格支配の例：Sie ist **stolz** *auf ihren Sohn*. 彼女は息子が自慢だ．

VI. 副　詞

　副詞は動詞や形容詞などを規定したり，時・場所・方法・様態・理由などを表わしたりする．性・数・格による語尾変化はない．本来の副詞 (hier, jetzt など)，形容詞・分詞・名詞などから転用したもの (schnell, plaudernd, gereizt, abends など)，および -weise, -maßen などの接尾辞によって作られたものなどがある．

1. 副詞の用法

1) **動詞を規定して**（大部分は形容詞・分詞を副詞として用いたもの）: Er spricht **schnell**. 彼は早口だ．| Sie *gingen* **plaudernd** auf und ab. 彼らはおしゃべりしながら歩き回っていた．

2) **形容詞・副詞を規定して**: Er ist **sehr** *tüchtig*. 彼は非常に有能である．| Die Schüler kamen **gut** *vorbereitet* zum Unterricht. 生徒たちはよく予習して授業に出て来た．| **Eben** *jetzt* habe ich ihn angerufen. たったいま私は彼に電話をしたところだ．

3) **名詞・代名詞の後に置いて付加語として**: *Das Auto* **dort** gehört mir. あそこの自動車は私のだ．| Welches meinst du? ― *Das* **da**! どれのことを言っているんだ？ ― そこのそれさ．

4) **状況語として**: **Sonntags** arbeitet man nicht. 日曜日には働かない．| **Neulich** habe ich mir einen interessanten Film angesehen. 最近私は面白い映画を見た．

5) **述語内容語として**: Das *war* **gestern**. それは昨日のことだった．| Die Tür ist **auf**. ドアが開いている．

6) 文の内容に対して，**話者の主観的な感情を表わす語として**: **Hoffentlich** kommt er bald. (=Ich hoffe, dass er bald kommt.) 彼がもうすぐ来てくれるといいのだが．| **Leider** konnte er sie nicht erreichen. (=Es tut mir leid, dass er sie nicht erreichen konnte.) 残念ながら彼は彼女に連絡がとれなかった．| Du gehst **besser** sofort nach Hause. (=Ich finde es besser, wenn du sofort nach Hause gehst.) 君はすぐに帰宅したほうがいい．

7) さまざまな不変化詞が話者の感情の微妙なニュアンスを表現して: Was ist **denn** das? それはいったい何なのか？ | Ruf ihn **doch** gleich an! 彼にすぐ電話しなさいよ．| Du sprichst **doch** fließend Deutsch, oder? 君はきっとドイツ語がうまいんだろう，ね？ | Das ist **aber** schön! なんてすばらしいんだ．| Wir wollen zu Fuß gehen, es ist **ja** nicht so weit bis dorthin. 歩いて行こう，あそ

副　詞

こまではそう遠くないから. | Ich bin **ja** so glücklich! 私はとてもうれしい. | Kommen Sie **nur** herein! どうぞお入りください.

2. 副詞の種類

a. 場所・方向を表わす副詞.

1) 疑問詞 **wo?** に対応するもの: **hier** ここに, **dort** あそこに, **da** そこに; **oben** 上に, **unten** 下に, **mitten** 真ん中に, **rechts** 右に, **links** 左に, **überall** いたるところに, 等.
   Oben wohnt ein japanisches Ehepaar. 上の階には日本人夫婦が住んでいる. | **Mitten** im See lag eine kleine Insel. 湖の中央に小島があった. | Er hat mich **von oben bis unten** gemustert. 彼は私を上から下までじろじろ眺めた.

   ◆ **hier** — **dort** は主観的に話者に《近い—遠い》を表わすが, **da** はあまり遠近と関係なく用いられる: Man kann **hier**〈**dort**〉parken. ここに〈あそこに〉駐車できる. | Ist Herr Seitz **da**? ザイツさんはいらっしゃいますか?

2) 疑問詞 **wohin?/woher?** に対応するもの: **hin** 向こうへ, **dahin** かなたへ, **aufwärts** 上方へ, **hinunter** 下へ, **vorwärts** 前へ, **rückwärts** 後ろへ, **hinein** 中へ, **fort** 去って; **her** こちらへ, **dorther** あちらから, **herauf** こちらの上へ, **heran** こちらへ近づいて, 等.
   Der Fahrstuhl geht **aufwärts**. このエレベーターは上りだ. | Sie lief die Treppe **hinunter**. 彼女は階段を駆け降りた.

   ◆ **hin** は話者から遠ざかることを, **her** は話者のほうへ近づいて来ることを表わす. ただし hin は「話者から見て „向こうへ"」だけでなく, 「文の主語から見て „向こうへ"」も表わす. her は「こちらへ」のほか, 前置詞句とともに用いられて, 二つの対象がほぼ等間隔で移動することを表わすこともある: Zu ihm **hin**! 彼のところへ行け. | Wo wollen wir **hin**? どこへ行こうか? | Der Bettler streckte seine Hand **hin**. 乞食は手をさし出した. | **Her** zu mir! 私のほうへ来い. | Das Geld muss sofort **her**. その金をすぐによこせ. | Ein Polizist fährt mit dem Motorrad **neben** dem Wagen **her**. 警官がオートバイでその車と並んで走って行く.

   また他の副詞や前置詞と結合して, 対になる合成語を作る:
   wohin? どこへ? — **woher**? どこから?
   dahin かなたへ — **daher** かなたから
   hinaus (中から向こうの)外へ — **her**aus (中からこちらの)外へ
   hinein (外から向こうの)中へ — **her**ein (外からこちらの)中へ

hinüber（越えて）あちらへ —**her**über（越えて）こちらへ，等．

b. 時間に関する副詞．

疑問詞 **wann？/ wie lange？/ wie oft？** などに対応するもの：jetzt いま，neulich 最近，einst かつて，heute きょう，gestern 昨日，morgen 明日，morgens 朝，abends 晩，immer いつも，lange 長いあいだ，stundenlang 何時間も，oft しばしば，manchmal ときどき，selten たまに[しか…ない]，等．

Ich bin **gerade jetzt** angekommen. 私はたったいま着いたところだ．| Welchen Tag haben wir **heute**？ きょうは何日ですか？| Er kommt nur **selten** zu uns. 彼はたまにしか我々のところへ来ない．

c. 様態・方法・理由・手段・条件などを表わして

疑問詞 **wie？/warum？** に対応するものなど：sehr 非常に，ziemlich かなり，fast ほとんど，einigermaßen いくらか，anders 別なふうに，gern 好んで，nur ただ，auch また，so そのように，dann その場合には，folglich それゆえに，sonst さもないと，trotzdem それにもかかわらず，等．

Es waren **fast** 1000 Menschen da. そこには千人近くの人がいた．| Ich bin **gern** hier. 私はここが好きだ．| Du musst dich beeilen, **sonst** wird es zu spät. 君は急がなければならない．でないと遅れるよ．

d. 文の内容に対する話者の主観的な感情を表わす副詞．（119頁）

e. 疑問副詞．

場所・時・様態・方法・理由などを尋ねるのに用いる．wo？ どこで？, wohin？ どこへ？, woher？ どこから？, wann？ いつ？, warum？ なぜ？, wie？ どのように？, weshalb？ 何のために？, wozu？ 何のために？, 等．

Wo muss ich umsteigen？ 私はどこで乗り換えなければならないのですか？| **Woher** kommen Sie？ どこからおいでですか？（出身地はどちらですか？）| **Wann** fährt der nächste Zug ab？ 次の列車は何時発ですか？| **Wie** kann ich Sie morgen erreichen？ どうすれば私はあなたに明日連絡がとれますか？| **Warum** sind Sie nicht gekommen？ なぜあなたは来なかったのですか？

f. 関係副詞．

関係副詞は関係文の先頭に置かれ，定動詞は文末に位置する．場所・時・様態・方法・理由などを表わす語が先行詞となる．上記の疑問副詞がそのまま関係副詞に転用されることが多い．特に場所・時を表わす語[句]を先行詞とする wo が最もしばしば用いられる．

Die Stadt, **wo** (=in der) ich geboren bin, liegt an der Nordsee. 私の生ま

副　詞

れた町は北海に面している. | Jetzt, **wo** der Chef fort ist, gehen wir auch alle nach Hause. チーフのいなくなったいま, われわれもみんな帰ろう. | Die Art, **wie** sie ihn behandelte, empörte mich. 彼女が彼を扱う態度は私を憤激させた.

3. 副詞の比較

1） 副詞の比較変化形.

形容詞・分詞などから転用の副詞は形容詞と同じ比較変化をするが(111頁), 最上級は常に **am —sten** である. また純粋の副詞のうち, bald, gern, oft, wohl の四語は次のような比較変化をする.

	原級	比較級	最上級
好んで	gern	lieber	am liebsten
まもなく	bald	eher	am ehesten
しばしば	oft	öfter	am öftesten
よく	wohl	｛wohler besser	am wohlsten am besten

Das Fahrrad fährt **schnell**; das Auto fährt **schneller**; der Zug fährt aber **am schnellsten**.　自転車は速く走る, 自動車はもっと速い, でも列車がいちばん速い.

Ich trinke **gern** Bier; ich trinke **lieber** Wein; Whisky trinke ich **am liebsten**. 私はビールが好きだ, ワインはもっと好きだし, ウイスキーがいちばん好きだ.

2） 副詞の最上級の絶対的用法.

形容詞の場合と同様, 他のものと比較するのではなく, ただ「程度がきわめて高い」ことを表わす最上級の用法がある. この場合, am —sten でなく, **aufs —ste** という形を用いる:

Er läuft **aufs schnellste**.　彼は走るのがたいへん速い.

◆ —st, —stens の形でも絶対的最上級を表わすことがある: höchst きわめて, höflichst いんぎんに, äußerst 極端に; höchstens せいぜい, frühestens 早くとも, wenigstens 少なくとも, 等.

VII. 前　置　詞

前置詞はふつう名詞・代名詞の前に置かれ，かつその名詞・代名詞が特定の格であることを要求する．これを前置詞の《格支配》と呼ぶ．

1.　2格支配の前置詞

[an]statt　…の代わりに	trotz　…にもかかわらず	während　…のあいだ
wegen　…のために	um … willen　…のために	
außerhalb　…の外側に	innerhalb　…の内側く以内〉に	
oberhalb　…の上部に	unterhalb　…の下部に	
diesseits　…のこちら側に	jenseits　…のあちら側に　等	

◆　trotz は3格を支配することもある．wegen は日常語では3格を支配することもある．また wegen は後置されることもあるが，この場合は必ず2格支配である．

Statt *einer Schachtel Pralinen* brachte ich ihr Blumen. チョコレート一箱の代わりに私は彼女のところへ花を持って行った．| Wir gingen **trotz** *des Regens* 〈*dem Regen*〉 spazieren. 私たちは雨にもかかわらず散歩した．| **Während** *des Unterrichts* dürft ihr nicht schlafen. 授業中に君たちは眠ってはいけない．**Wegen** *technischer Schwierigkeiten* 〈*Technischer Schwierigkeiten* **wegen**〉 muss die Eröffnung verschoben werden. 技術的な問題のために開場は延期されねばならない．| Ich habe das nicht **um** *meiner selbst* **willen** getan. 私はそれを自分自身のためにしたのではない．| Wir wohnen **außerhalb** *der Stadt*. 私たちは郊外に住んでいる．

2.　3格支配の前置詞

aus	…(の中)から	außer	…の外に，…以外に
bei	…の近く，…の所で，…の際	entgegen	…に向かって
gegenüber	…の向かいに，…に対して	mit	…とともに，…でもって
nach	…へ，…の後で，…によれば	seit	…以来，…前から
von	…から，…の，…について	zu	…へ，…のために　等

◆　entgegen, gegenüber は後置されることが多い．特に代名詞と結ぶときは常に後置される．nach は「…によれば」の意味のときには後置されること

がある. aus, von はともに「…から」を意味するが,「…の中から」を意識するときは aus を用いる. nach も zu も「…へ」という方向を意味するが, nach は《地名》や《無冠詞名詞》の前に置かれ, zu は《人物・建物・催し》などの前に置かれることが多い.

Er kam **aus** *dem Zimmer.* 彼は部屋から出て来た.
Außer *dir* sind alle damit einverstanden. 君以外は全員がそれに同意している.
Bei *dieser Stadt* wendet sich der Rhein **nach** *Norden.* この都市の近郊でライン河は北へ向きを変える. | **Seit** *einem Monat* wohnt er **bei** *seinem Onkel.* 一と月前から彼はおじさんの家に住んでいる. | **Beim** *Essen* darf man nicht laut sprechen. 食事中は大声で話してはいけない.
Entgegen *meinem Wunsch* ⟨*Meinem Wunsch* **entgegen**⟩ ist er nicht abgereist. 私の希望に反して彼は旅立たなかった.
Gegenüber *der Tankstelle* ⟨*Der Tankstelle* **gegenüber**⟩ steht das Café. ガソリンスタンドの向かいにその喫茶店はある. | Er nahm *mir* **gegenüber** Platz. 彼は私の向かい側に座わった.
Er ist **mit** *seiner Frau* **nach** *Wien* gefahren. 彼は奥さんといっしょにウィーンへ行った. | Ich schreibe gern **mit** *diesem Füller*. 私はこの万年筆で書くのが好きだ.
Nach *dem Abendessen* sehen wir fern. 夕食後私たちはテレビを見る. | **Nach** *meiner Meinung* ⟨*Meiner Meinung* **nach**⟩ hat er nicht recht. 私の考えでは彼は間違っている.
Ein Apfel fällt **vom** *Baum*. りんごが木から落ちる. | Wien ist die Hauptstadt **von** *Österreich*. ウィーンはオーストリアの首都である. | Ich weiß nichts **von** *dem Ereignis*. 私はその出来事について何も知らない.
Ich gehe **zum** *Arzt* ⟨**zum** *Bahnhof* / **zur** *Ausstellung*⟩. 私は医者へ⟨駅へ/展覧会へ⟩行く.

3. 4格支配の前置詞

bis …まで	**durch** …を通って	**entlang** …に沿って
für …のために	**gegen** …に抗して,…ごろ	**ohne** …なしに
um …の周りに 等		

♦ bis はふつう bis zu …, bis nach … のように他の前置詞の前に置かれる. そのさい bis は格を支配せず, その次の前置詞が格を支配する. また, 数詞・副詞・無冠詞名詞の前では単独で用いられる. entlang は後置されることが多い. ただし前置される場合は多く3格支配となる. さらに2格支配

となることもある.

Er arbeitet **bis** *zum Abend* ⟨**bis** *in die Nacht*/bis *zehn Uhr*⟩. 彼は夕方まで⟨夜ふけまで/10時まで⟩仕事をする. | Ich bleibe **bis** *nächsten Sonntag* ⟨**bis** *zum nächsten Sonntag*⟩ hier. 私は次の日曜日までここにいる.

Wir gehen **durch** *den Wald*. 我々は森を通って行く. | **Durch** *einen Bekannten* habe ich erfahren, dass Sie erkrankt sind. あなたが病気だということを, 私は知人から聞いた.

Die Straße führt *den Fluss* **entlang** ⟨**entlang** *dem Fluss*⟩. その通りは川沿いに走っている.

Für *ihn* tut sie alles. 彼のためなら彼女は何でもする. | Ich hätte gern ein Einzelzimmer **für** *drei Nächte*. シングルの部屋を3泊分お願いします.

Die Sportler müssen jetzt **gegen** *den Wind* laufen. 選手たちはいま風に逆らって走らなければならない. | Haben Sie ein Mittel **gegen** *Kopfschmerzen*? 頭痛薬をお持ちですか? | Ich komme [so] **gegen** *neun*. 私は9時ごろ参ります.

Das ist **ohne** *jeden Zweifel* richtig. それはまったく疑いもなく正しい. | **Ohne** *dich* kann ich nicht mehr leben. 君なしではもう生きて行けない.

Die Erde dreht sich **um** *die Sonne*. 地球は太陽の周りを回っている. | Die Schule beginnt **um** *8 Uhr*. 学校は8時に始まる.

4.　3格・4格支配の前置詞　(9語のみ)

an	…に接して	auf	…の上	hinter	…の後ろ
in	…の中	neben	…の隣	über	……の上方, …を越えて
unter	…の下	vor	…の前	zwischen	…のあいだ

これらの前置詞は**限られた場所内**をさすときは《**3格**》(wo? に対応)を, **運動の方向**を示すときは《**4格**》(wohin? に対応)を支配する.

Ich arbeite **in** *der Bibliothek*. 私は図書館で仕事をしている. (3格; 場所)
Ich gehe **in** *die Bibliothek*. 私は図書館へ行く. (4格; 方向)

しかしこれらの前置詞は空間的位置関係を表わすばかりでなく, 時間的あるいは抽象的な意味でも用いられる. その場合, 格支配に注意しなければならない:

Im Sommer fahren wir **an** *die See*. 夏には我々は海辺へ行く. — Wir haben ein Haus **an** *der See*. 我々は海岸に家を持っている. | Jetzt muss ich **an** *die Arbeit*. さあ仕事にとりかからなければ. — Ich bin jetzt **an** *der Arbeit*. 私はいま仕事中です. | Der Kongress findet **am** *kommenden Freitag* statt. 会議は今度の金曜日に開かれる.

前 置 詞

Ich lege das Buch **auf** *den Tisch*. 私はその本を机の上に置く. — Das Buch liegt jetzt **auf** *dem Tisch*. 本はいま机の上にある. | Sagen Sie es bitte **auf** *Deutsch*! どうかドイツ語で言ってください.
Der Kellner geht **hinter** *die Theke*. ボーイはカウンターの向こう側へ行く. — Der Kellner arbeitet **hinter** *der Theke*. ボーイはカウンターの後ろで働いている. | Endlich hat er die Prüfung **hinter** *sich* gebracht. とうとう彼は試験を終えた.
Ich schreibe die Regeln **ins** *Heft*. 私は規則をノートに書く. — Die Regeln stehen **in** *dem Heft*. 規則はそのノートに書いてある. | **In** *diesem Punkt* haben Sie Recht. この点ではあなたのおっしゃるとおりです.
Er setzt sich **neben** *seine Freundin*. 彼はガールフレンドの隣へ座る. — Er sitzt **neben** *seiner Freundin*. 彼はガールフレンドの横に座っている.
Das Flugzeug fliegt **über** *die Stadt*. 飛行機が町を越えて飛んで行く. — Der Hubschrauber kreist schon lange **über** *der Stadt*. ヘリコプターがもう長いあいだ町の上空で旋回している. | Der Zug fährt **über** *Bonn* nach Köln. この列車はボン経由でケルンへ行く. | Die Burg ist **über** *500 Jahre* alt. この城は500年以上も昔のものだ. | Er hat ein Buch **über** *den Bauernkrieg* geschrieben. 彼は農民戦争に関する本を書いた.
Ein Hund kriecht **unter** *die Bank*. 犬が一匹ベンチの下へもぐり込む. — Der Hund schläft jetzt **unter** *der Bank*. その犬はいまベンチの下で眠っている. | **Unter** *den Zuhörern* waren auch viele Ausländer. 聴衆のなかには外国人も大勢いた. | Für Jugendliche **unter** *18 Jahren* ist der Eintritt verboten. 18歳未満の未成年者は入場禁止. | Sie erzählte das **unter** *Tränen*. 彼女はそれを涙ながらに語った.
Ich fahre **vor** *das Hotel*. 私はホテルの前へ乗りつける. — Das Auto steht schon 2 Stunden **vor** *dem Hotel*. 車はもう2時間もホテルの前に止まっている. | Ich traf ihn **vor** *einer Woche*. 私は彼に一週間前に会った. | Sie weinte **vor** *Freude*. 彼女はうれしさのあまり泣いた.
Sie setzte sich **zwischen** *mich* und *meinen Freund*. 彼女は私と私の友人のあいだへ座った. — Sie saß **zwischen** *mir* und *meinem Freund*. 彼女は私と私の友人のあいだに座っていた. | Ich esse nichts **zwischen** *den Mahlzeiten*. 私は間食をしない.

前置詞

5. 前置詞に関するその他の事項

a. 前置詞と定冠詞の融合形 (67 頁); 前置詞と人称代名詞の融合形 (84 頁); 前置詞と指示代名詞の融合形 (93 頁); 前置詞と was の融合形 (96 頁); 前置詞と関係代名詞の融合形 (99 頁).

b. 前置詞句＋追加語

前置詞句の後に他の語を置いて意味を強調・明確化することがある:
Die Maschine war **von** *Anfang* **an** nicht in Ordnung. (von … an) この機械は最初から調子が悪かった. | Er fuhr **von** *Berlin* **aus** in seine Heimat. (von … aus) 彼はベルリーンから帰省した. | Wir kamen zufällig **an** *einer Baustelle* **vorbei**. (an … vorbei) 私たちはたまたまある建築現場のそばを通りかかった.

c. 特定の前置詞と結ぶ動詞・形容詞.

1) 前置詞つき目的語をとる動詞の例:

von *et.*³ **abhängen** …に左右される	auf *et.*⁴ **verzichten** …を放棄する
auf *et.*⁴ **achten** …に注意を払う	auf *et.*⁴ **warten** …を待つ
auf *et.*⁴ **antworten** …に答える	an *et.*³ **zweifeln** …を疑う
auf *et.*³ **bestehen** …に固執する	*sich*⁴ um *et.*⁴ **bemühen** …を得ようと努力する
aus *et.*³ **bestehen** …から成り立つ	
in *et.*³ **bestehen** …に存する	*sich*⁴ mit *et.*³ **beschäftigen** …に従事する
jn. um *et.*⁴ **bitten** …に…を頼む	
jm. für *et.*⁴ **danken** …に…の礼を言う	*sich*⁴ an *et.*⁴ **erinnern** …を思い出す
an *et.*⁴ **denken** …のことを考える	*sich*⁴ auf *et.*⁴ **freuen** …(未来のことを)楽しみにしている
jn. nach *et.*³ **fragen** …に…を尋ねる	
zu *et.*³ **gehören** …の一部である	*sich*⁴ über *et.*⁴ **freuen** …(現実のことを)喜ぶ
(ただし: *jm.* **gehören** …のものである)	
an *et.*⁴ **glauben** …を信じる	*sich*⁴ an *et.*⁴ **gewöhnen** …に慣れる
*et.*⁴ für *et.*⁴ **halten** …を…とみなす	**es handelt sich um** *et.*⁴ …が問題(眼目)である. (87 頁)
auf *et.*⁴ **hoffen** …を希望する	
an *et.*³ **leiden** (病気)にかかっている	*sich*⁴ für *et.*⁴ **interessieren** …に興味をもつ
unter *et.*³ **leiden** …に悩む(精神的に)	
mit *et.*³ **rechnen** …を考慮に入れる	*sich*⁴ um *et.*⁴ **kümmern** …に気を配る
*et.*⁴ vor *et.*³ **schützen** …を…から守る	*sich*⁴ um *et.*⁴ **sorgen** …のことを心配する
für *et.*⁴ **sorgen** …の世話をする	
an *et.*³ **teilnehmen** …に参加する	

Niemand *antwortete* **auf** meine Frage. 誰も私の質問に答えてくれなかった. |

前置詞

Darf ich Sie **um** ein Glas Wasser *bitten*? 水を一杯いただけますか? | *Fragen* Sie den Polizisten **nach** dem Weg. あの警官に道をお尋ねなさい. | Ich *halte* ihn **für** einen Wissenschaftler 〈**für** sehr tüchtig〉. 私は彼を学者だ〈非常に有能だ〉と思う. | Ich *warte* hier schon lange **auf** meine Frau. 私はここでもう長いこと妻を待っています. | Ich *warte* schon lange **darauf***, dass er mir schreibt. 私はもう長いこと, 彼が手紙をくれるのを待っている. | Ich kann *mich* **an** meine Kindheit nicht mehr *erinnern*. 私は幼年時代のことをもはや思い出すことができない. | Wir *freuen uns* jetzt schon **auf** die Ferien. 我々はいまからもう休暇を楽しみにしている. | Ich *freue mich* **darauf***, in den Ferien an die See zu fahren. 私は休みに海辺へ行くことを楽しみにしている. | **Über** Ihren Besuch habe ich *mich* sehr *gefreut*. あなたの御訪問をたいへんうれしく思いました. | *Es handelt sich* **um** deine Zukunft. 君の将来に関することだ.

♦ * 前置詞の支配を受けるものが名詞でなく, zu 不定詞句あるいは副文の場合は,《da[r]-+前置詞》を主文のなかに置く.

2) 特定の前置詞と結ぶ形容詞の例:

> **arm an** *et.*³ …に乏しい
> **reich an** *et.*³ …に富んでいる
> **aufmerksam auf** *et.*⁴ …に対して注意深い
> **einverstanden mit** *et.*³ …に同意している
> **fertig mit** *et.*³ …を終えている
> **stolz auf** *et.*⁴ …を誇っている
> **zufrieden mit** *et.*³ …に満足している

Das Land ist *reich* **an** natürlichen Schätzen. この国は天然資源が豊富だ. | Sie ist sehr *stolz* **auf** ihre tüchtigen Kinder. 彼女は自分の有能な子供たちをとても誇りにしている. | Sie ist *stolz* [**darauf***], dass sie ihr Ziel erreicht hat. 彼女は目的を果たしたことを誇りにしている. | Man ist **mit** seinem Gehalt nur selten *zufrieden*. 自分の給料に満足することはめったにない.

♦ * 前置詞の支配を受けるものが名詞でなく, zu 不定詞句あるいは副文の場合は,《da[r]-+前置詞》を主文のなかに置く.

VIII. 接 続 詞

接続詞には語と語，句と句，文と文を並列的に結合する《**並列の接続詞**》と，ある文を他の文に従属的に結合する《**従属の接続詞**》の二種類がある．

1. 並列の接続詞

これらの接続詞が文頭に置かれて文と文を結ぶ場合，あとの語順に影響を与えない．

| **aber** しかし | **denn** なぜなら | **oder** あるいは | **und** そして |

- ◆ 雅語では「しかし」の意味で **allein** も用いられる．接続詞としての allein は必ず文頭に置かれる：Die Botschaft höre ich wohl, **allein** mir fehlt der Glaube. (Goethe: Faust) (神の)知らせは確かに聞こえるが，わしには信仰が欠けている．
- ◆ aber と同じ意味で用いられた **doch** は並列の接続詞と同じ扱いを受けることもある：Ich möchte gern kommen, **doch** *habe* ich ⟨**doch** ich *habe*⟩ keine Zeit. 私は喜んで伺いたいのですが，しかし暇がないのです．
- ◆ **denn** は接続詞としては必ず文頭に置かれる．語・句を結ぶ場合については 113-114 頁参照．不変化詞としての denn については 119 頁参照．

Meine Familie geht heute Abend ins Theater, **aber** ich *bleibe* zu Haus. 家の者たちは今晩劇場へ行くが，私は家に残る．

- ◆ aber は文頭のみならず，文中に置かれることもある：…, ich **aber** *bleibe* zu Haus / …, ich *bleibe* **aber** zu Haus.

Dr. Braun ist ein noch junger, **aber** sehr guter Arzt. ドクトル・ブラウンはまだ若い医者だが，たいへん名医である．

Sie wollte nicht zum Ball gehen, **denn** sie *hatte* keinen Partner. 彼女はダンスパーティーに行きたくなかった，なぜならパートナーがいなかったからだ．

- ◆ 132頁の《da と weil と denn》参照．

Möchten Sie ein Zimmer mit **oder** ohne Bad? バス付きの部屋ですか，それともバスなしの部屋をお望みですか？ | Sie geht zu Fuß **oder** nimmt ein Taxi. 彼女は徒歩で行くか，さもなければタクシーに乗る．

Krieg **und** Frieden 戦争と平和 | Wir haben tüchtig gegessen **und** getrunken.

接続詞

我々は大いに食って飲んだ.｜Er hielt es für richtig **und** das war es auch. 彼はそれを正しいと思っていた，そして実際そのとおりだった.

なお，次のように熟語として用いられる《**相関的接続詞**》にも注意すること.

> **nicht*** …, **sondern** …　…でなくて，…
> **nicht nur** …, **sondern auch** …　…のみならず，…もまた
> **sowohl** … **als auch** ⟨**wie auch**⟩ …　…も…も
> **zwar** …, **aber** …　…ではあるが，しかし…
> **entweder** … **oder** …　…かまたは…
> **weder** … **noch** …　…も…もない

Er kommt **nicht** heute, **sondern** morgen. 彼は今日ではなく，明日来る.｜Er kaufte sich für das Geld **kein** Auto, **sondern** er machte eine Auslandsreise. 彼はその金で車を買わず，外国旅行をした.
◆ * nicht …, sondern … の nicht の位置に他の否定詞が来ることも多い.

Er kommt **nicht nur** heute, **sondern auch** morgen. 彼は今日だけでなく，明日も来る.｜**Nicht nur** der Vater, **sondern auch** die Mutter war ⟨waren⟩ da. 父親だけでなく，母親もそこにいた.

◆ nicht nur …, sondern auch … が主語の場合，定動詞の数は sondern auch … のほうに従うのがふつうである．したがって上例のような場合は通常単数である．

Er spricht **sowohl** Englisch **als auch** Französisch. 彼は英語もフランス語も話す.
Er ist **zwar** alt, **aber** noch sehr rüstig. 彼は年をとってはいるが，まだきわめて壮健である.
Sie arbeitet jetzt **entweder** im Garten **oder** in der Küche. 彼女はいま庭か台所で仕事をしている.｜**Entweder** du bleibst zu Haus **oder** du kommst mit uns. 君は家に残るか，さもなければみんなといっしょに来るのだ.

◆ Entweder bleibst du … の語順も可.

Er spricht **weder** Englisch **noch** Französisch. 彼は英語もフランス語も話せない.｜**Weder** er **noch** ich wusste⟨wussten⟩ Bescheid. 彼も私も知らなかった.

2. 従属の接続詞

これらの接続詞に導かれる文は副文となり，定動詞は文末に置かれる．

als …として，…よりも，…したとき	**als ob/als wenn** あたかも…のように	
bevor …する前に **bis** …するまで **ehe** …する前に		**da** …なので
damit …するように **dass** …ということ		**falls** …の場合には
indem …しながら **nachdem** …したあとで		**ob** …かどうか
obgleich/obwohl …にもかかわらず **seit[dem]** …以来		
sobald …するや否や **solange** …するかぎり		**während** …するあいだ
weil …だから **wenn** …ならば，…すると		**wie** …のように

◆ 副文が主文に先行すると，主文の定動詞は主文の先頭に置かれる．

Er hat mich **als** Sekretär angestellt. 彼は私を秘書として採用した．| Seine Frau ist zwei Jahre älter **als** er. 彼の奥さんは彼より二つ年上だ．| **Als** er ausgehen *wollte*, klingelte das Telefon. 彼が外出しようとしたとき，電話が鳴った．

Sie tat so, **als ob** ⟨**als wenn**⟩ nichts gewesen *wäre*. 何事もなかったかのように，彼女はふるまった．

◆ **als ob** の **ob**, **als wenn** の **wenn** は省略されることが多い．この場合，省略された ob/wenn の位置に定動詞が置かれる．(60頁)

Bevor ⟨**Ehe**⟩ wir *abreisen*, müssen wir noch vieles erledigen. 出発する前に，まだ片づけなければならないことがたくさんある．

Er wartet, **bis** der Postbote *kommt*. 彼は郵便屋が来るまで待っている．

Es ist kurz vor Mittag, und **da** heute Samstag *ist*, mache ich Schluss. まもなく正午である，今日は土曜日なので，私は仕事をやめる．| **Da** er nicht zu Hause *war*, ging sie frühzeitig weg. 彼が留守だったので，彼女は早々に帰って行った．

Schreib es dir auf, **damit** du es nicht *vergisst*! 君はそれを忘れないように，書きとめておけ．

Es ist unwahrscheinlich, **dass** er noch *kommt*. 彼がまだ来るということは，ありそうにない．| Sie weiß noch nicht, **dass** ich verheiratet *bin*. 私が既婚者であることを，彼女はまだ知らない．| Ich war **so** müde, **dass** ich gleich zu Bett gehen *musste*. 私はとても疲れたので，すぐベッドに入らなければならなかった．| Er verließ das Haus, **ohne dass** wir es *wussten*. 我々は知らなかったのだが，彼は家から出て行った．| Sie ist **zu** schön, [**als**] **dass** ich ihr einen

接続詞

Heiratsantrag machen *könnte.* 彼女はあまり美しいので，私は彼女に結婚の申込みなどできない．

- ♦ dass は **auf dass** …「…するように」，**ohne dass** …「…することなしに」，**statt dass** …「…する代わりに」などのように前置詞とともに用いられたり，**zu** …, **als dass** …「あまり…なので…ない」のような成句的表現を作ることがある．

Ruf mich an, **falls** etwas passieren *sollte*! 何かあったら電話をください．
Sie grüßte, **indem** sie sich *verbeugte.* 彼女はおじぎをして挨拶した．
Der Anruf *kam*, **nachdem** er das Haus *verlassen hatte.* 電話は，彼が家を出たあとでかかって来た．| **Nachdem** ich *eingekauft habe*, *komme* ich zu dir. 買物をしてから，私は君のところへ行く．

- ♦ **nachdem** に始まる副文は，これと関連する主文の表わす内容よりも以前に完了した事柄を表わし，副文と主文の時称関係は右のようになる．

副文	主文
過去完了 ― 過去 / 現在完了
現在完了 ― 現在 / 未来

Ich weiß nicht, **ob** das wahr *ist*. それが真実であるかどうか，私は知らない．
Obwohl ⟨**Obgleich**⟩ es *regnet*, arbeitet er draußen. 雨が降っているにもかかわらず，彼は外で仕事をしている．
Seit[dem] er die Stadt verlassen *hat*, sehe ich ihn nicht mehr. 彼がこの町を去って以来，私は彼に会っていない．
Sobald ich Näheres *erfahre*, gebe ich Ihnen Bescheid. 詳しいことが分かり次第，私はあなたにお知らせします．
Solange Sie Fieber *haben*, dürfen Sie auf keinen Fall aufstehen. 熱があるあいだは，あなたは決して床を離れてはいけません．
Die Nachricht ist gekommen, **während** ich verreist *war*. この知らせは私の旅行中に届いた．
Warum gehen Sie so selten aus?―**Weil** ich sparen *muss*. なぜあなたはめったに外出しないのですか？― 私は倹約しなければならないからです．| Er ist [deshalb] so traurig, **weil** sein Vater gestorben *ist*. 彼は父親が死んだので，[それで]非常に悲しんでいるのだ．

- ♦ **da** と **weil** と **denn**. da も weil も理由を表わすが，**da** は周知・既知の理由など，あまり強調する必要のない場合に多く用いられ，これに対して **weil** は理由に力点を置く場合に用いられる．したがって warum? という問いに対する答えは必ず weil … でなければならない．なお **denn** も同じく理

由を表わすが，前文との関係は da, weil の場合ほど密接でなく，いわば追加的に言い添えるというニュアンスを持っている．
♦ なお最近の日常語では weil を並列の接続詞として用いることがある：Er kommt nicht, **weil** er *ist* krank. 彼は病気だから来ない．

Heute Abend, **wenn** er *zurückkommt*, werde ich es ihm sagen. 今晩，彼が帰って来たら，私はそれを彼に言いましょう．| Jedesmal, **wenn** ich nach Deutschland *reiste*, besuchte ich meinen alten Lehrer. 私はドイツへ旅するごとに，昔の先生を訪問した．
♦ **時を表わす als と wenn.** 一般に als は過去の時を，wenn は現在・未来の時を表わすが，wenn が過去に用いられると，過去の反復・習慣を表わす．

Wenn ich sie damals geheiratet *hätte*, wäre ich jetzt glücklich. あのとき彼女と結婚していたら，私はいま幸せだろうに．
♦ **仮定を表わす wenn を省略して，定動詞を文頭に置く形もある：***Hätte* ich sie damals geheiratet, wäre … (60 頁)．
　wenn auch/auch wenn などについても 60 頁を参照．

Er ist so alt **wie** mein Vater. 彼は私の父と同年配だ．| Sie freuten sich **wie** Kinder. 彼らは子供のように喜んだ．| Bei der Rückkehr fand er sein Zimmer so, **wie** er es verlassen hatte. 帰ってきたとき，部屋は彼が出ていったときのままの状態だった．

3. いわゆる副詞的接続詞

文と文を関連づける also, dann, deshalb, so などが文頭に置かれると，それらを《副詞的接続詞》と呼ぶことがあるが，これらは単に副詞が文頭に置かれたものと考えてさしつかえない．定動詞は当然，その直後（第 2 位）に置かれる．
Er ist krank, **deshalb** *kann* er heute nicht kommen. 彼は病気だ，だから今日来ることができない．| Ich denke, **also** *bin* ich. 我思う，ゆえに我あり．

4. 疑問代名詞・疑問副詞の《従属の接続詞》としての用法

疑問代名詞・疑問副詞で導かれる疑問文が副文になるときは，疑問代名詞・疑問副詞が《従属の接続詞》としての役割を果たす．
Was ist er von Beruf? — Ich weiß nicht, **was** er von Beruf *ist*. 彼の職業は何ですか？— 私は彼の職業が何であるか知りません．
Wo wohnt Fritz jetzt? — Ich weiß nicht, **wo** er jetzt *wohnt*. フリッツはいまどこに住んでいますか？— 彼がいまどこに住んでいるのか知りません．

IX. 数　　詞

1. 基　数

0	null	10	zehn	20	**zwanzig**
1	eins	11	**elf**	21	einundzwanzig
2	zwei	12	**zwölf**	22	zweiundzwanzig
3	drei	13	dreizehn	23	dreiundzwanzig
4	vier [fiːr]	14	vierzehn ['fɪrtseːn]	24	vierundzwanzig
5	fünf	15	fünfzehn	25	fünfundzwanzig
6	sechs	16	**sech**zehn	26	sechsundzwanzig
7	sieben	17	**sieb**zehn	27	siebenundzwanzig
8	acht [axt]	18	achtzehn ['axtseːn]	28	achtundzwanzig
9	neun	19	neunzehn	29	neunundzwanzig

30	dreißig	365	dreihundertfünfundsechzig
40	vierzig ['fɪrtsɪç]	2 909	zweitausendneunhundert[und]neun
50	fünfzig		
60	**sech**zig	10 000 (一万)	zehntausend
70	**sieb**zig	100 000 (十万)	hunderttausend
80	achtzig ['axtsɪç]	1 000 000 (百万)	eine Million
90	neunzig	2 000 000 (二百万)	zwei Millionen
100	hundert	10 000 000 (千万)	zehn Millionen
101	hunderteins	100 000 000 (一億)	hundert Millionen
200	zweihundert	1 000 000 000 (十億)	eine Milliarde
300	dreihundert	1 000 000 000 000 (一兆)	eine Billion
1 000	tausend		
3 000	dreitausend		

(a) **1** は 1, 101, 2201 などのように十の位が 0 のときのみ **eins** となり，その他は **ein-** となる：
　201 = zweihundert**eins**　　231 = zweihundert**ein**unddreißig
(b) zwei と drei の聞き違いを避けるために，日常語で zwei を zwo と言うことがある．
(c) 21, 22, …99 は一の位を先に言う．
(d) 「百いくつ」と「千いくつ」を，特に 200 以上，2000 以上とはっきり区別

するため, **ein**hundert…, **ein**tausend… とすることもある.
(e) 百の位のあとにも und を入れることがある. ただし十の位と一の位のあいだに und があるときは, 百の位のあとの und は省略することが多い:
101 = hundert[und]eins　　220 = zweihundert[und]zwanzig
365 = dreihundert[und]fünfundsechzig
(f) 数字は三桁ごとに, 字間をあけるか, ピリオドを打って表記する.
(g) Million 以上の単位名は女性名詞 (-/-en) である.

1) 基数は名詞的にも付加語的にも用いられる. 「1」以外は原則として語尾変化をしない:
Eins und **zwei** ist **drei.**　1 たす 2 は 3 (1+2=3).
drei Frauen　三人の女たち

2) 付加語的用法の eins は不定冠詞と同じ変化をする:
ein Mann　一人の男　　**eine** Frau　一人の女　　**ein** Kind　一人の子供
Rom ist nicht an ⟨in⟩ **einem** Tage erbaut worden. 《諺》　ローマは一日にして成らず.

◆ eins は, 定冠詞および dieser 型の語が先行すると形容詞の弱変化(107頁)となり, また mein 型の語が先行すると形容詞の混合変化(108頁)をする:
der Ertrag des ⟨dieses⟩ **einen** Jahres　その年一年間の出来高 | Mein **einer** Sohn ist krank. 私の息子の一人は病気だ. (ふつうは ein Sohn von mir …, または einer meiner Söhne … と言う)

3) zwei と drei は格を明示するために, 形容詞の語尾変化をすることがある:
die Aussagen zwei**er** Zeugen　二人の証人の発言
Ich habe es nur drei**en** gesagt. (参照: Ich habe es nur drei Leuten gesagt.) 私はそれを三人にだけ言った.

4) vier 以上の数は慣用表現で 1・4 格に -e, 3 格に -en をつけることがある:
auf allen vier**en** kriechen　四つん這いではう
zu fünf**en** sitzen　五人で座っている
alle vier**e** von sich strecken　大の字になる

5) 基数は大文字書きで女性名詞 (-/-en) として用いることがある:
Eins *f* -/-en　一の数[字]
Er würfelte drei **Einsen.** 彼はさいころで 1 の目を三つ出した.
Er hat in Latein *eine* **Drei** geschrieben. 彼はラテン語のテストで 3 (の成績) をとった.

◆ Hundert, Tausend には中性名詞形 (-s/-e) もある: ein halbes **Hundert**

数　詞

100 の半分 | Die Kosten gehen in die **Hunderte**. 費用は何百ユーロにもなる. | Sie lagerten zu **Tausenden** auf der Wiese. 人々は何千人も草原にたむろしていた.

6) **基数+-er** の名詞は慣用的にその《数》のもつさまざまの事物を表わす. 男性名詞 (-s/-) として扱う:

Achter *m* -s/- (ボート, フィギュア・スケートの)エイト, (市電・バス路線などの) 8 番 | Haben Sie einen **Zehner**? 10 セント硬貨をお持ちですか?

- ◆ 特に -zig ⟨-ßig⟩ に終る十位の数に -er を付したものは, 年齢・年代を表わす (110 頁): Er ist ein **Dreißiger**. 彼は 30 歳台である. | Er hat noch einen **Achtziger** im Keller liegen. 彼は 80 年産のワインをまだ 1 本地下室に置いている. | In den **Siebzigern** des vorigen Jahrhunderts entwickelte sich die Industrie sprunghaft. 前世紀の 70 年代に工業は飛躍的に発展した.

2.　序　数

「第...の」「...番目の」を意味する序数は, 原則として **19 まで**は基数に **-t** を, **20 以上**は **-st** をつける. 101 以上はこれを繰り返す. 序数を数字で表わすときは, 数字のあとに Punkt (.) を打つ.

1. **erst**	8. **acht**	20. zwanzig**st**
2. zwei**t**	9. neun**t**	21. einundzwanzig**st**
3. **dritt**	10. zehn**t**	30. dreißig**st**
4. vier**t**	11. elf**t**	100. hundert**st**
5. fünf**t**	12. zwölf**t**	101. hundert**erst**
6. sechs**t**	13. dreizehn**t**	365. dreihundertfünfundsechzig**st**
7. sieb[en]**t**	19. neunzehn**t**	1 000. tausend**st**

1) ふつう付加語として用いられ, 形容詞の語尾変化をする:

„Faust", erst**er** Teil 『ファウスト』第一部

mein zweit**es** Kind 私の二番目の子供

die dritte, verbesserte Auflage 改訂第三版

Ich wohne im 5. (fünft**en**) Stock. 私は 6 階に住んでいる.

- ◆ ドイツではふつう「1 階」を Erdgeschoss と言うので, 2 階から上を **erster** Stock (2 階), **zweiter** Stock (3 階) 等と数える.

2) 順番を尋ねるときは疑問詞 wievielt を用いる:

Das **wievielte** Mal bist du jetzt in München? — Das **vierte** Mal. 君が今回ミュンヒェンに来たのは何度めですか? — 4 回めです.

Beim **wievielten** Versuch hat es geklappt? 何度めの試みで成功したのか?
- ♦ 本来「第20番」以上を問う場合には wievielst が用いられる理屈だが,その場合でも wievielt が用いられる.

3) **序数+-ens** は erstens「第一に」, zweitens「第二に」のような副詞となる:
Erstens habe ich kein Geld, **zweitens** keine Zeit, und **drittens** bin ich zu müde.
私は第一に金がなく,第二に時間がなく,第三に疲れすぎている.

4) zweit 以上の序数の前に zu をつけて「何人で」を表わすことがある:
Wir gehen **zu dritt** spazieren. 我々は三人で散歩に行く.

3. 分 数

分子に《基数》を,分母には《序数+-el》を用い,分子を先に読む.

$\frac{1}{3}$	ein drittel	$\frac{1}{4}$	ein viertel	$\frac{5}{23}$	fünf dreiundzwanzigstel
$\frac{2}{3}$	zwei drittel	$\frac{3}{4}$	drei viertel		

$\frac{3}{4}$ Kilo　　drei viertel Kilo　4分の3キログラム

- ♦ 付加語として用いるときは一語に書くことがある.

1) 1/2 は形容詞的には halb,名詞としては女性名詞 Hälfte (-/-n) である:
Er war ein **halbes** Jahr in Berlin. 彼は半年間ベルリーンにいた.
Was ist die **Hälfte** von 20? 20の半分はいくつですか?

2) 分母を大文字書きして,中性名詞 (-s/-) として用いる:
Zwei **Drittel** der Erdoberfläche sind Wasser. 地球面の3分の2は水だ.

3) **百分率**　1/100, 2/100 … は Prozent (%) や vom Hundert (略: v. H.) で表わすことができる:
23/100 (23%)　dreiundzwanzig Prozent/dreiundzwanzig vom Hundert

4) 帯分数の読み方:

$1\frac{2}{3}$　ein zwei drittel　　　$5\frac{3}{4}$　fünf drei viertel

- ♦ 分数部分が 1/2 のときは次のように読む.語尾変化はせず,次の名詞は複数形となる:

$1\frac{1}{2}$　eineinhalb; anderthalb　　$2\frac{1}{2}$　zweieinhalb

数　詞

　　Ich bleibe **eineinhalb** Jahre 〈**anderthalb** Jahre〉 in Deutschland.　私は一年半ドイツに留まる．

4. 倍数と反復数

1) 倍数は《**基数**＋**-fach**》で表わす．eins に対しては einfach となる：
zwei**fach** 2倍の, 2重の ｜ drei**fach** 3倍の, 3重の ｜ hundert**fach** 百倍の
Seine Schulden sind drei**fach** geworden.　彼の借金は3倍になった．
der drei**fache** Olympiasieger　オリンピックの3種目優勝者
Der Fahrstuhl hat eine zwei**fache** 〈**doppelte**〉 Sicherung.　このエレベーターには二重の安全装置がついている．
　♦　zweifach は doppelt で言い換えることができる．

2) 反復数は《**基数**＋**-mal**》で表わす．付加語としては《**基数**＋**-malig**》, eins に対しては einmal, einmalig となる：
zwei**mal** 2回, 2倍 ｜ drei**mal** 3回, 3倍 ｜ hundert**mal** 百回, 百倍
Ich war schon vier**mal** in München.　私はもう4回ミュンヒェンへ行った．
der drei**malige** Olympiasieger　オリンピックの3回優勝者
Bitte drei**mal** läuten!　ベルを3度鳴らしてください．

5. 小　数

「小数点」を „Komma" と読み, 原則として小数点以下は, 数字を順に一つずつ読む．一語に書く場合もあるが, ふつうは分かち書きにする：
　0,25　null **Komma** zwei fünf＊
　23,456　dreiundzwanzig **Komma** vier fünf sechs
　♦　＊ 日常語では小数点以下が2桁の場合は null Komma fünfundzwanzig のように読むこともある．

6. ローマ数字

次の文字の組合せによる：
　I＝1　**V**＝5　**X**＝10　**L**＝50　**C**＝100　**D**＝500　**M**＝1000
同じ数字が並ぶと加算される：
　II＝2　**III**＝3　**XXX**＝30　**CCC**＝300
異なる数字が並んだとき, 小さい数字が右にあれば加算する：
　VI＝6　**VII**＝7　**VIII**＝8　**CX**＝110　**DCC**＝700　**DXXI**＝521
小さい数字が左にあれば, 大から小を引算する：

数　詞

IV=4　XL=40　XC=90　CM=900　CMXL=940
したがって次のようになる：

1986=MCMLXXXVI　　1492=MCDXCII

7.　数　式

$5+3=8$	Fünf und drei ist acht. / Fünf plus drei ist acht.
$8-3=5$	Acht weniger drei ist fünf. / Acht minus drei ist fünf.
$3\times 5=15$ $3\cdot 5=15$	Drei mal fünf ist fünfzehn.
$12:4=3$	Zwölf [geteilt] durch vier ist drei.
$6^2=36$	Sechs hoch zwei ist sechsunddreißig.
$2^3=8$	Zwei hoch drei ist acht.
$\sqrt{36}=6$	[Quadrat]wurzel aus sechsunddreißig ist sechs.
$\sqrt[3]{8}=2$	Kubikwurzel aus acht ist zwei.
$\sqrt[4]{16}=2$	Vierte Wurzel aus sechzehn ist zwei.
$(x+y)^3$	Klammer [auf] x plus y Klammer [zu] hoch drei.

(a) 等号「=」は ist または gleich または ist gleich と読む．
(b) 日本語の「九九」は Einmaleins と言う．
(c) ドイツでは「÷」は「:」で表わす．
(d) 150 km/st 〈150 km/h〉 は 150 Stundenkilometer または 150 Kilometer pro Stunde と読む．
(e) 4乗根以上は序数を用いて，vierte Wurzel, fünfte Wurzel… となる．これにならって Kubikwurzel も dritte Wurzel と言うことがある．

8.　時　刻

1) 時刻の尋ね方と答え方：
Wie spät ist es? いま何時ですか？　　— Es ist **ein*** Uhr.　1時です．
Wie viel Uhr ist es? いま何時ですか？ — Es ist **eins**.　1時です．
Wie viel Uhr haben wir jetzt? いま何時ですか？
♦ *　**eine** Uhr とすると「1個の時計」の意になる．

2) 正確な時刻を表わすには前置詞 um,「…時ごろに」を表わすには前置詞 gegen を用いる：

数　詞

Wann 〈**Um** wie viel Uhr〉 treffen wir uns? 何時に会いましょうか?
— **Um** vier 〈**Gegen** vier〉 [Uhr] vor dem Bahnhof. 4時ちょうどに〈4時ごろに〉駅前で.

3) 「…時…分」は，次の二通りの言い方がある:
Es ist **3 Uhr 5** [Minuten]/**5** [Minuten] **nach 3**. 3時5分/3時5分すぎ.
Es ist **3 Uhr 55** [Minuten]/**5** [Minuten] **vor 4**. 3時55分/4時5分まえ.
◆ 「…分すぎ」には nach を，「…分まえ」には vor を用いる. Uhr, Minuten の単位はしばしば省略される. Uhr は常に単数形で用いる.

4) 交通機関，テレビなど公共の場での時刻表示には24時間制を用い，日常の話し言葉では12時間制が多い:
Der nächste Zug nach Köln fährt **um 14.23 Uhr** vom Gleis 2 ab.　次のケルン行きの列車は14時23分に2番線から発車します.
◆ 14.23 Uhr の読み方: vierzehn Uhr dreiundzwanzig.

Ich möchte Sie gerne am kommenden Sonntag **um 4 Uhr** zum Kaffee einladen.
あなたを今度の日曜日の(午後)4時にお茶にお招きしたいと存じます.
◆ 12時間制の場合，「午前…時，午後…時」を明示する必要があれば，morgens「朝の」，vormittags「午前の」，mittags「昼の」，nachmittags「午後の」，abends「夕方の，晩の」，nachts「夜の」をつける.

3.00 Uhr	Es ist 3 [Uhr].	3.35 Uhr	3 Uhr 35
3.05 Uhr	3 Uhr 5		5 [Minuten] nach halb 4
	5 [Minuten] nach 3	3.40 Uhr	3 Uhr 40
3.10 Uhr	3 Uhr 10		10 [Minuten] nach halb 4
	10 [Minuten] nach 3		20 [Minuten] vor 4
3.15 Uhr	3 Uhr 15	3.45 Uhr	3 Uhr 45
	[ein] Viertel nach 3		[ein] Viertel vor 4
	viertel 4		drei viertel 4
3.20 Uhr	3 Uhr 20	3.50 Uhr	3 Uhr 50
	20 [Minuten] nach 3		10 [Minuten] vor 4
	10 [Minuten] vor halb 4	3.55 Uhr	3 Uhr 55
3.25 Uhr	3 Uhr 25		5 [Minuten] vor 4
	5 [Minuten] vor halb 4	4.00 Uhr	4 Uhr
3.30 Uhr	3 Uhr 30		Es ist 4 [Uhr].
	halb 4		

♦ 「3時15分」を viertel vier, 「3時半」を halb vier, 「3時45分」を drei viertel vier と言うのは, それぞれ「4時に向かって 1/4, 1/2, 3/4 経過した」という意味である.

9. 年月日

1) 《西暦年数》は **1099年**まではふつうの基数と同じ読み方. 1100年から1999年は百の単位で切って, 次のように読む:
   1099年 tausendneunundneunzig
   1100年 elfhundert
   1985年 neunzehnhundertfünfundachtzig
   2001年以後は, 2003年 zweitausend[und]drei のように読む.

2) 《日》を表わすにはふつう定冠詞(男性)つき序数を用いる. したがって序数は形容詞の弱変化となる:
   Der wievielte ist heute? 今日は何日ですか?
   Den wievielten haben wir heute? 今日は何日ですか?
   Heute ist **der 3.** (dritte) Juli. 今日は7月3日です.
   Heute haben wir **den 3.** (dritten) Juli. 今日は7月3日です.

3) 「…日に」というときには, am をつけて次のように言う:
   Wir haben **am 5.** (fünften) Oktober geheiratet. 我々は10月5日に結婚した.
   Ich bin **am 16.** (sechzehnten) Mai 1962 (neunzehnhundertzweiundsechzig) in Heidelberg geboren. 私は1962年5月16日にハイデルベルクで生まれた.
   Die Sitzung findet **am** Freitag, **dem 15.** (fünfzehnten) Oktober in der Kleinen Halle statt. その会議は10月15日金曜日に小ホールで行なわれる.

4) 手紙などの日付の書き方(便箋の右肩に書く):
   Tokyo, den 14. (vierzehnten) März 2003 2003年3月14日, 東京にて
   なお次のように簡略化して書くことも多い.
   Tokyo, den 14. 3. 2003 (den vierzehnten dritten zweitausend[und]drei)
   Tokyo, 14. 3. 2003 (vierzehnter dritter zweitausend[und]drei)
   ♦ 月名・曜日名については 68 頁参照.

10. 金 額

2002年1月1日より欧州共通通貨 Euro ['ɔyro]（「ユーロ」，記号 €）が実施されている．1ユーロは 100 Cent [sɛnt]（「セント」，略 c, ct，複数 cts）から成る．

従来のドイツ通貨は Mark（「マルク」，正式には Deutsche Mark，略 DM）および Pfennig（「ペニヒ」=1/100 マルク，略 Pf.）であった．

◆ Mark は常に単数で用いられたのに対して，Pfennig は複数形を用いることもあった．

€ 1,— / € 1,00 / 1,— € / 1,00 €　ein Euro（Euro は男性名詞）
€ 0,78 / 0,78 € / —, 78 €　achtundsiebzig Cent
€ 2,01 / 2,01 €　zwei Euro eins〈ein Cent〉（Cent は男性名詞）

---

ja — nein — doch

《決定疑問文》は「肯定」または「否定」されることを求めており，応答者は ja, nein, doch のいずれかを用いて答える．「否定」を含む疑問に対しては，日本語の「はい」「いいえ」と異なるので，注意しなければならない．

Ist es draußen kalt?
外は寒いですか？
　— **Ja**, es ist kalt.
　　はい，寒いです．　　　　（肯定）
　— **Nein**, es ist **nicht** kalt.
　　いいえ，寒くありません．（否定）

Haben Sie Hunger?
おなかがすいていますか？
　— **Ja**, ich habe Hunger.
　　はい，すいています．　　（肯定）
　— **Nein**, ich habe **keinen** Hunger.
　　いいえ，すいていません．（否定）

《**否定**》を含む質問：

Ist es draußen **nicht** kalt?
外は寒くないですか？
　— **Doch**, es ist kalt.
　　いいえ，寒いです．　　　（肯定）
　— **Nein**, es ist **nicht** kalt.
　　はい，寒くありません．　（否定）

Haben Sie **keinen** Hunger?
おなかはすいていませんか？
　— **Doch**, ich habe Hunger.
　　いいえ，すいています．　（肯定）
　— **Nein**, ich habe **keinen** Hunger.
　　はい，すいていません．　（否定）

X. 造　語

ドイツ語はきわめて造語能力に富む言語である．特に現代のドイツ語では新しい造語が盛んに行なわれる傾向にあるので，ごく基本的な造語法を心得ておく必要がある．

1. 造語の種類
a. 主な合成． 二つ，あるいはそれ以上の語を結合して作る．
1） 名　詞
名詞＋名詞：Zahn|arzt 歯科医　Hand|schuh 手袋　Hafen|stadt 港湾都市
形容詞＋名詞：Groß|stadt 大都会　Hoch|haus 高層ビル　Edel|stein 宝石
動詞の語幹＋名詞：Schlaf|zimmer 寝室　Fahr|plan 時刻表　Schreib|maschine
　　　　　　　　　タイプライター

2） 形容詞
形容詞＋形容詞：dunkel|blau ダークブルーの　nass|kalt 湿っぽく寒い
名詞＋形容詞：eis|kalt 氷のように冷たい　schnee|weiß 雪のように白い
動詞の語幹＋形容詞：koch|fertig インスタントの(食品)　trink|fest 酒に強い

3） 動　詞
名詞＋動詞：teil|nehmen 参加する　haus|halten 家政をとる
形容詞＋動詞：gut|heißen 是認する　klar|machen 分からせる
前置詞〈副詞〉＋動詞：auf|nehmen 採用する　an|fangen 始める

b. 主な派生． もとの語に接頭辞，接尾辞などを付して作る．
1） 名　詞
接頭辞によるもの：
　　Un|glück 不幸　**Ge**|flügel 鳥類
接尾辞によるもの：
　　Bär|**chen** 小熊　Bäch|**lein** 小川　Lehrer|**in** 女教師　Frei|**heit** 自由
　　Ewig|**keit** 永遠　Finster|**nis** 暗黒　Freund|**schaft** 友情　Reich|**tum** 富
　　Zeit|**ung** 新聞

2） 形容詞
接尾辞によるもの：
　　trag|**bar** 持ち運びできる　leb|**haft** 生き生きした　fleiß|**ig** 勤勉な
　　herr|**lich** すばらしい　arbeits|**los** 仕事のない

造　語

3) **動　詞**

接頭辞によるもの：
bekommen 入手する　　**emp**fehlen 勧める　　**ver**sprechen 約束する

2. 造語の形態上の注意

合成・派生のいずれの場合にも，もとの語が変形することがある．

a. 合成の場合．

1) そのまま結合するもの：
Ehe|frau 妻　　Mittag|essen 昼食　　Natur|schutz|gebiet 自然保護地域
himmel|blau 空色の

2) -e に終る語はその -e を落して結合することがある：
Schul|jahr 学年　　Erd|beben 地震　　hilf|reich 役に立つ

3) 逆に -e- を加えるもの：
Bade|anzug 水着　　Warte|raum 待合室

4) -s- または -es- を加えるもの：
Lebens|versicherung 生命保険　　Volks|wagen フォルクスワーゲン
Tages|zeitung 日刊新聞　　liebens|würdig 愛らしい
Freiheits|krieg 解放戦争　　hoffnungs|los 希望のない

5) -e に終るもので -e を落してから -s- をつけるもの：
Miets|wohnung 貸家　　Hilfs|kraft 補助員

6) -n- または -en- を加えるもの(本来は複数，あるいは男性・女性名詞の古い単数2格形)：
Studenten|heim 学生寮　　Herren|anzug 紳士服　　Straßen|bahn 市電
Taschen|tuch ハンカチ

7) -er- を加えるもの(本来は複数形)：
Bilder|buch 絵本　　Güter|zug 貨物列車　　kinder|leicht きわめて簡単な

b. 派生の場合　(母音が変わるものが多い)
Fräu|lein (＜Frau) お嬢さん　　Häft|ling (＜haft-) 囚人
Ge|birge (＜Berg) 山脈
zärt|lich (＜zart) やさしい　　kränk|lich (＜krank) 病気がちの

XI. 配　語

1. 定動詞の位置

文の構成を文成分に分割して考えると，定動詞の位置は次の三つに分類される（一文成分が単語一個から成るとは限らない）．

a. 定動詞第2位
定動詞の前に一つの文成分が置かれるが，その文成分は主語とは限らない．
1) 平叙文：

　　Ich ｜denke｜ immer an dich.　私はいつも君のことを思っている．

　Immer ｜denke｜ *ich* an dich.

　An dich ｜denke｜ *ich* immer.

　♦　主文の第一成分としての位置に副文が置かれる場合がある：

　　Wenn ich auf der Reise bin, ｜denke｜ ich immer an dich. 私は旅行してい
　　　　　　（副文）　　　　　　　　　　　　　　　　　　　　ると，いつも君のことを考えている．

2) 補足疑問文：

　　Was ｜tust｜ *du* jetzt?　君はいま何をしていますか？

　An wen ｜denkst｜ *du* jetzt?　君はいま誰のことを考えていますか？

b. 定動詞第1位
1) 決定疑問文：

　｜Denkst｜ *du* an mich?　私のことを考えていますか？

2) 命令文：

　｜Denke｜ an mich!　私のことを考えなさい．

　｜Denken｜ *Sie* bitte an mich!　私のことを考えてください．

c. 定動詞後置 （副文において）

Du weißt schon, dass *ich* immer an dich ｜denke｜. 私がいつも君のことを思っていることを，君はすでに知っている．

Der Mann, *der* morgen zu mir ｜kommt｜, ist mein guter Freund. 明日私のところへ来る男は，私の親友である．

d. 動詞が二つの成分から成る場合

haben/sein と結んで**完了形を作る過去分詞**，werden と結んで**未来形を作る不**

配　語

定詞，werden と結んで受動形を作る過去分詞，話法の助動詞と結ばれる**不定詞**，**分離動詞の前綴り**は，主文においては文末に，副文においては文末から 2 番目の位置におかれる．

1) 主文において：

　　　　　　　　動詞第一成分　　　　　　　　　　　　　　動詞第二成分
　　　Gestern 　habe 　ich diesen Roman 　　gelesen 　. 昨日私はこの小説を読んだ．
　　　　Ich 　werde 　morgen diesen Roman 　lesen 　. 私は明日この小説を読もう．
　　　　Ich 　möchte 　jetzt diesen Roman 　lesen 　. 私はいまからこの小説を読みたい．
　Dieser Roman 　wurde 　damals sehr viel 　gelesen 　. この小説は当時たいへんよく読まれた．
　　　　Er 　las 　diesen Roman 　　　　　　durch 　. 彼はこの小説を読み終えた．

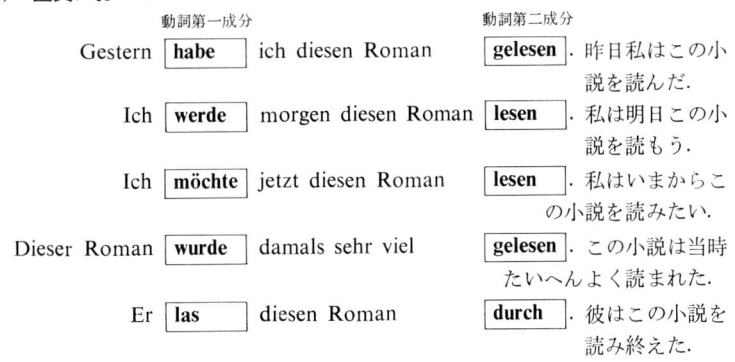

2) 副文 (=従属文) において：

　　　　　Dieser Roman **wurde** damals sehr viel **gelesen**.

　Weißt du, dass dieser Roman damals sehr viel **gelesen** 　wurde 　?
　この小説が当時たいへんよく読まれたことを，君は知っていますか？

　　　　　Er **las** diesen Roman **durch**.

　Das Telefon klingelte, als er diesen Roman **durch** las 　.
　彼がこの小説を読んでいたとき，電話が鳴った．

e. 動詞が三つの成分から成る場合．

　未来完了形，あるいは話法の助動詞＋受動不定詞などのように，動詞が三つの成分から成る場合，動詞の第三成分を第二成分の前に置く．

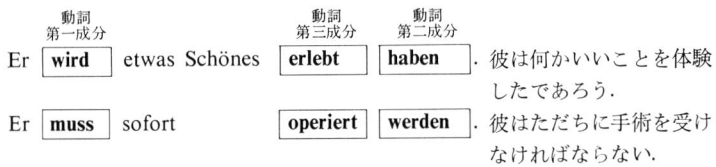

1) 主文において：

　　　動詞　　　　　　　　　　　動詞　　動詞
　　　第一成分　　　　　　　　　第三成分　第二成分
　　Er 　wird 　etwas Schönes 　erlebt 　haben 　. 彼は何かいいことを体験したであろう．
　　Er 　muss 　sofort 　　　　operiert 　werden 　. 彼はただちに手術を受けなければならない．

配　語

Ich |werde| bald nach Wien |gehen| |müssen|.　私はやがてウィーンへ行
　　　　　　　　　　　　　　　　　　　　　　かねばならないだろう．
Er |muss| den Brief |lesen| |können|.　彼はその手紙を読むこと
　　　　　　　　　　　　　　　　　　　　ができるにちがいない．

2)　副文において：
(a)　動詞第一成分を文末におく：

　　　　Er **wird** etwas Schönes **erlebt haben**.

Ich glaube, dass er etwas Schönes **erlebt haben** |wird|.
彼は何かいいことを体験しただろうと，私は思う．

　　　　Er **muss** sofort **operiert werden**.

Ich möchte wissen, ob er sofort **operiert werden** |muss|.
彼がすぐに手術を受けなければならないかどうかを，私は知りたい．

(b)　動詞第一成分が haben で，かつ不定詞と同形の過去分詞が用いられた場合には，haben は文末ではなく，必ず第三成分の前に置かれる：

　　　　Er **hat** den Brief **lesen können**.

Ich weiß nicht, ob er den Brief |hat| lesen können.
彼がこの手紙を読むことができたかどうか，私は知らない．
Ich bin sicher, dass ich ihn niemals |habe| lachen sehen.
私は，彼がかつて笑うのを見たことがなかったと確信している．

◆　動詞第二・第三成分がともに純粋の不定詞である場合の，動詞第一成分の位置（werden については次の双方が可能）：

Ich glaube, dass er das **sagen können** |muss.|
彼はそれを言うことができるにちがいないと，私は思う．
Ich glaube, dass ich bald nach Wien |werde| gehen müssen.
Ich glaube, dass ich bald nach Wien gehen müssen |werde|.
私はやがてウィーンへ行かねばならないであろうと思っている．

2.　配語と伝達価値

動詞以外の文成分の原則的な配語は次のようになる．

配　語

文頭(《**前域**》)には，その文で述べる事柄のテーマ，あるいは前文とのつながりを示す文成分を置く．主文の定動詞より後，副文の接続詞・関係代名詞などと定動詞の間(《**中域**》)における文成分の順序は，定動詞との結びつきの強いものほど，また伝達価値の高いものほど後ろに置く．したがって，おおよそ次のような傾向が生まれる．

a.　主語の位置．

　主語は文頭に置かれることが多いが，定動詞より後に置かれるときは，定動詞の直後がもっとも多い．ただし目的語などより後に置かれることも少なくない．(以下の例文で，主語はイタリックで示してある)

b.　目的語の位置．

　目的語が二つ以上ある場合，短い語を長い語より前に置く傾向が強い．

1)　3格目的語・4格目的語が，ともに名詞の場合は **3格 — 4格** の順：

Heute hat *Inge* ihrem Freund eine Uhr geschenkt.
　　　　　　　　3格　　　　4格

今日インゲは彼女の友人に時計をプレゼントした．

◆　一般に不定冠詞つきの名詞のほうが，定冠詞つきの名詞よりも伝達価値が高いので，ときには **4格 — 3格** の順になることもある：

Inge hat die Uhr einem Freund geschenkt.
　　　　　4格　　　3格

インゲはその時計をある友人にプレゼントした．

2)　一方が代名詞，他方が名詞の場合は，格に関係なく **代名詞 — 名詞** の順：

Heute hat *Inge* ihm eine Uhr　　geschenkt.

Heute hat *Inge* sie ihrem Freund geschenkt.

3)　両方が代名詞の場合は，**4格 — 3格** の順：

Heute hat *Inge* sie ihm geschenkt.

4)　前置詞つき目的語は常に後ろに置かれる：

Heute hat *Inge* ihrem Freund ⟨ihm⟩ für das Buch gedankt.

Heute hat *Inge* ihrem Freund ⟨ihm⟩ dafür　　　　 gedankt.

今日インゲは彼女の友人に本のお礼を言った．

5)　「短い語が前」という原則から，**主語が名詞，目的語が代名詞の場合，目的**

語が主語より前に置かれることが多い：

Heute hat **mir** *mein Mann* ein Halsband geschenkt.
　　　　　　3格　　　主語　　　　4格
今日私に夫がネックレスをプレゼントしてくれた．

c. 再帰代名詞の位置．

再帰代名詞 sich は，次のような配語になる．

Ich interessiere **mich** für Jazz.　私はジャズに興味がある．
Wie befindet **sich** *Ihr Vater*?　あなたのお父上の具合はいかがですか？
Er kauft **sich** einen Mantel.　彼はコートを買う．
Ich frage ihn, ob *er* **sich** gut befindet.　私は彼に元気かいと尋ねる．
Er lief heim, als **sich** *der Himmel* verdunkelt hatte. 空が暗くなったとき，彼は家へ走って帰った．

d. 状況語の位置．

状況語には**時・方法・理由(原因)・場所・様態**などを表わすものがある．これらの配列はかなり自由であるが，基本的には前頁冒頭の原則に従う．

Ich habe das Buch heute zufällig in einem Antiquariat gefunden.
　　　　　　　　時　　方法　　　　　場所
私はこの本を今日偶然にある古本屋で見つけた．

Der Zug kam heute wegen des Sturms mit Verspätung in Bonn an.
　　　　　　時　　　理由　　　　　　様態　　　　　場所
列車は今日嵐のために遅れてボンに到着した．

e. 次のようなものは，《中域》の最後に置かれた動詞または動詞成分よりも後（《後域》）に置かれるのがふつうである．

1) 比較の場合：

Er kann schwimmen wie ein Fisch.　彼は魚のように泳げる．
Ich kam heute früher nach Hause als gestern.　私は今日は昨日より早く家に帰った．

2) zu 不定詞[句]：

Es fing bald an zu regnen.　やがて雨が降り出した．
Er hat mich gebeten, zu ihm zu kommen.　彼のところへ来るように，彼は私に頼んだ．

配　語

3. nicht の位置

a. 全文を否定する場合は，ほぼ次の原則による．

1) nicht を文末に置く：
   Sie liebt ihn **nicht**.　彼女は彼を愛していない．
   Ich kaufe das Buch **nicht**.　私はその本を買わない．
   Sie hilft ihrer Mutter **nicht**.　彼女は彼女の母親の手伝いをしない．

2) 動詞または動詞成分が文末にある場合には，nicht はそれらの直前に置く：
   Er <u>kommt</u> **nicht** <u>mit</u>.　彼はいっしょに来ない．
   Er <u>ist</u> heute **nicht** <u>gekommen</u>.　彼は今日来なかった．

3) 述語内容語および不可欠な状況語の直前に nicht を置く：
   Ich bin **nicht** <u>krank</u>.　私は病気ではない．
   Er wohnt **nicht** <u>in München</u>.　彼はミュンヒェンに住んでいない．
   Die Kinder kamen heute **nicht** <u>nach Haus</u>.　子供たちは今日家に帰らなかった．

4) 本来の目的語が目的語としての性格を失い，熟語的に，あるいは分離の前綴りのように意識される場合，および前置詞つき目的語の場合は，その直前に nicht を置く：
   Ich spiele **nicht** <u>Klavier</u>.　私はピアノをひかない．
   Ich fahre **nicht** <u>Auto</u>.　私は自動車を運転しない．
   Er nimmt heute **nicht** <u>an unserem Ausflug</u> teil.　彼は今日私たちの遠足に参加しない．

b. 文中の一成分だけを否定する場合（いわゆる部分否定）では，原則として nicht は否定すべき文成分の直前に置かれる．

Er fährt heute mit dem Zug nach Bremen.
彼は今日列車でブレーメンへ行く．

→ **Nicht** <u>er</u> (, sondern sie) fährt heute mit dem Zug nach Bremen.
　今日列車でブレーメンへ行くのは彼ではない（彼女だ）．

→ Er fährt **nicht** <u>heute</u> (, sondern morgen) mit dem Zug nach Bremen.
　彼が列車でブレーメンへ行くのは今日ではない（明日だ）．

→ Er fährt **nicht** <u>mit dem Zug</u> (, sondern mit dem Auto) nach Bremen.
　彼がブレーメンへ行くのは列車でではない（車で行く）．

→ Er fährt mit dem Zug **nicht** <u>nach Bremen</u> (, sondern nach Hamburg).
　彼が列車で行くのはブレーメンではない（ハンブルクだ）．

nicht か kein か?

1) 不定冠詞つきの名詞を否定するには kein を用いる：
   Er leiht mir *ein Buch*.　　　→ Er leiht mir **kein** *Buch*.
   彼は私に本を貸してくれる．　　彼は私に本を貸してくれない．

2) 無冠詞の名詞を否定するには kein を用いる．これには物質名詞・抽象名詞・無冠詞の複数(単数ならば ein がつくべきもの)などがある：
   Ich trinke *Whisky*.　　　→ Ich trinke **keinen** *Whisky*.
   私はウイスキーを飲む．　　私はウイスキーを飲まない．
   Er hat *Mut*.　　　→ Er hat **keinen** *Mut*.
   彼は勇気がある．　　彼は勇気がない．
   Ich habe *Kinder*.　　　→ Ich habe **keine** *Kinder*.
   私は子供がある．　　私は子供がない．

3) 無冠詞でも，その名詞が動詞と密接に結びついている言い回しや，als と結んだ名詞などは，kein でなく nicht で否定する：
   Ich *weiß Bescheid*.　　　→ Ich *weiß* **nicht** *Bescheid*.
   私はそのことを知っている．　　私はそのことを知らない．
   Ich bin hier als Assistent tätig, **nicht** *als Sekretär*.　私はここで助手として働いています．秘書としてではありません．

4) 定冠詞・指示代名詞・所有代名詞などがついて，特定のものを表わす名詞は nicht で否定する：
   Er leiht mir *das ⟨dieses⟩ Buch*.
   彼はその本を私に貸してくれる．
   → Er leiht mir **nicht** *das ⟨dieses⟩ Buch*. (, sondern...)
   　彼はその本は私に貸してくれない．
   Das ist *mein Auto*.　　　→ Das ist **nicht** *mein Auto*.
   これは私の車です．　　これは私の車ではない．

   ◆ nicht, kein のどちらを使ってもよい場合，あるいはどちらで否定するかによって多少意味の異なる場合などがある：
   Er ist **kein** *Deutscher* ⟨**nicht** *Deutscher*⟩, sondern Engländer.　彼はドイツ人ではなくて，イギリス人である．
   Ich habe **keinen** *Pfennig* mehr.　私はもう全然金がない．
   Ich gebe dir **nicht** *einen Pfennig*.　私はお前にはびた一文やらない．

補 遺

1. haben+geschlossen/geöffnet の特殊な用法（⇨ 28 頁 g.）

形は完了形のように見えるが，意味は bleiben＋過去分詞(48 頁 6))と同じである：

Wie komme ich an eine Fahrkarte, wenn das Reisezentrum **geschlossen hat**? 旅行センターが閉まっているのなら，乗車券をどこで買ったらよいのでしょうか．| Es war Sonntag, aber die Geschäfte **hatten geöffnet**. 日曜日であったが店は開いていた．| Wir **haben** täglich von 10–18 **geöffnet**. 当店は毎日 10 時から 18 時まで開いています．

2. 「接続法」の呼称について（⇨ 56 頁）

Er sagt, dass er krank ist (彼は病気だと言っている). という文で，後半の副文を主文に結びつけて(接続して)いるのは接続詞 dass であるが，この文は Er sagt, er sei krank. と言っても意味は変らない．接続法 sei によって，後半が前半に従属する内容であることが文法的に明らかにされているからである．つまり，動詞のこの形態は本来，副文の表す内容を主文に接続する機能を持つものである．しかし，今日では接続法の用法は多岐にわたり，「接続」という意識はほとんど失われてしまっている．

3. 略語の読み方（⇨ 76 頁「略語の性・数・格」）

略語の読み方は，次の 3 種に大別される．

1) 略記されていても，全書されているように読む：

Abs.	(＜**Abs**ender)	['apzɛndər]	差出人
Dr.	(＜**D**okto**r**)	['dɔktɔr]	ドクター
usw. または **u.s.w.**	(＜**u**nd **s**o **w**eiter)	[ʊnt zoː ˈvaɪtər]	…等々
vgl.	(＜**v**er**gl**eiche)	[fɛrˈglaɪçə]	…を参照せよ
geb.	(＜**geb**oren)	[gəˈboːrən]	…生まれ

なお，略語を付加語形容詞として用いると，形容詞の語尾変化をさせて読む：
Erika Müller[,] **geb.** (＝geborene) Schmidt　エーリカ・ミュラー，旧姓シュミット

2) 略語が一つの単語であるかのように読む：

BAFöG　(＜**B**undes**a**usbildungs**f**örderungs**g**esetz) ['baːfœk]　[ドイツ]連邦奨学金[法]

152

TÜV (＜Technischer Überwachungsverein) [tʏf]　技術検査協会
3)　略記されたアルファベットをそのまま読む：
　　ADAC(＜**A**llgemeiner **D**eutscher **A**utomobil-**C**lub) [aːdeːaːˈtseː]　全ドイツ自動車クラブ
　　DAAD (＜**D**eutscher **A**kademischer **A**ustausch**d**ienst) [deːaːaːˈdeː]　ドイツ学術交流会
　　FKK (＜**F**rei**k**örper**k**ultur) [ɛfkaːˈkaː]　裸体主義，ヌーディズム
　　PC　(＜**P**ersonal**c**omputer) [peːˈtseː]　パーソナルコンピュータ
　　SPD　(＜**S**ozialdemokratische **P**artei **D**eutschlands) [ɛspeːˈdeː]　ドイツ社会民主党
　　TH　(＜**T**echnische **H**ochschule)　[teːˈhaː]　工科大学
　　UB　(＜**U**niversitäts**b**ibliothek)　[uːˈbeː]　大学付属図書館
2) 3) に属するものは，全書された原語との関係が薄く記号としての性格が強いので，省略を示すピリオドを付けないが，1) に属しても，記号としての性格が強いためにピリオドを打たないものがある：**DM** (＜**D**eutsche **M**ark) [(ˈdɔʏtʃə) mark] ドイツマルク

4.　was の「…に関して言えば」の意味での用法(⇨ 101 頁 2) ♦)

Was mich betrifft 〈anbelangt/anbetrifft/angeht〉, ich bin damit einverstanden. 私について言えば，私はそれに賛成です．| **Was** diesen Punkt betrifft, habe ich doch einige Bedenken. この点に関して言えば，私はやはり少し懸念を持っています．

　♦　主文の定動詞は第 1 位でも第 2 位でもよい．

5.　いわゆる二重疑問文：「君は，ハンスがいつ〈なぜ / どこから / どうやって / 誰と〉来ると思いますか」のような疑問文には，様々な言い方があるが，次の 3 つの形がよく用いられる：

Wann 〈Warum / Woher / Wie / Mit wem〉, glauben Sie, kommt Hans?
Wann 〈Warum / Woher / Wie / Mit wem〉 glauben Sie, dass Hans kommt?
Was glauben Sie, wann 〈warum / woher / wie / mit wem〉 Hans kommt?

不規則変化動詞表

1. この表に記載されていない複合動詞は前綴りを除いた形で見ること．したがって，anfangen は fangen を，begreifen は greifen を参照のこと．
2. *er*bleichen, *er*löschen, *er*schrecken, *ver*zeihen の4語は，それぞれの基礎動詞の位置に記載されている．
3. 不定詞の欄の (h)(s) は，完了時称で haben, sein を助動詞とすることを示す．
4. 三基本形の暗唱の便をはかって，長母音にはそれを示す発音記号を付した．ただし母音＋h，および -ie- は長母音であることが明らかなので，発音記号は付していない．たとえば，**biegen** — **bog** [oː] — **gebogen** [oː] は，発音が (['biːgən]) — [boːk] — [gəˈboːgən] であることを示す．
5. 最も重要と思われる50語を選び，その三基本形を 色をかぶせて 示した．逆に重要度の低いと思われるものは文字を色で印刷して示した．

不規則変化動詞表

不定詞	直説法 現在	直説法 過去基本形	接続法 II 基本形	過去分詞
backen[1] （パンを）焼く	du bäckst/ backst er bäckt/ backt	**backte**/ 古 **buk** [u:]	backte/ 古 büke	gebacken
befehlen 命じる	du befiehlst er befiehlt	**befahl**	beföhle/ befähle	befohlen
beginnen 始める, 始まる		**begann**	begänne/ 稀 begönne	begonnen
beißen 噛む	du beißt 	**biss** du bissest	bisse	gebissen
bergen 保護する, 隠す	du birgst er birgt	barg	bärge	geborgen
biegen 曲がる (s); 曲げる (h)		**bog** [o:]	böge	gebogen [o:]
bieten 提供する		**bot** [o:]	böte	geboten [o:]
binden 結ぶ		**band**	bände	gebunden
bitten 頼む		**bat** [a:]	bäte	**gebeten** [e:]
blasen [a:] 吹く	du bläst er bläst	**blies**	bliese	geblasen [a:]
bleiben 留まる (s)		**blieb**	bliebe	geblieben
erbleichen 色あせる (s)		erbleichte/ 古 erblich	erbleichte/ 古 erbliche	erbleicht/ 古 erblichen
braten [a:] （肉を）焼く	du brätst er brät	**briet**	briete	gebraten [a:]
brechen 破れる (s); 破る (h)	du brichst er bricht	**brach** [a:]	bräche	gebrochen
brennen 燃える, 燃やす		**brannte**	brennte	gebrannt
bringen もたらす		**brachte**	brächte	gebracht
denken 考える		**dachte**	dächte	gedacht
dreschen 脱穀する	du drischst er drischt	drosch/ 古 **drasch**	drösche/ 古 dräsche	gedroschen
dringen 突き進む (s)		**drang**	dränge	gedrungen

1) 「粘りつく」の意味では必ず規則変化.

不規則変化動詞表

不定詞	直説法 現在	直説法 過去基本形	接続法II 基本形	過去分詞
dürfen …してもよい	ich darf du darfst er darf	**durfte**	dürfte	**gedurft/** **Inf.＋dürfen**
empfehlen 勧める	du empfiehlst er empfiehlt	**empfahl**	empföhle/ empfähle	**empfohlen**
essen 食べる	du isst er isst	**aß** [aː]	äße	**gegessen**
fahren (乗物で)行く (s, h)	du fährst er fährt	**fuhr**	führe	**gefahren**
fallen 落ちる (s)	du fällst er fällt	**fiel**	fiele	**gefallen**
fangen 捕える	du fängst er fängt	**fing**	finge	**gefangen**
fechten 闘う	du fichtst er ficht	**focht**	föchte	**gefochten**
finden 見つける		**fand**	fände	**gefunden**
flechten 編む	du flichtst er flicht	**flocht**	flöchte	**geflochten**
fliegen 飛ぶ (s, h)		**flog** [oː]	flöge	**geflogen** [oː]
fliehen 逃げる (s)		**floh**	flöhe	**geflohen**
fließen 流れる (s)		**floss** du flossest	flösse	**geflossen**
fressen (動物が)食う	du frisst er frisst	**fraß** [aː]	fräße	**gefressen**
frieren 寒い，凍る (h, s)		**fror** [oː]	fröre	**gefroren** [oː]
gären [ɛː] 発酵する (s, h)		**gor** [oː]	göre	**gegoren** [oː]
gebären [ɛː] 産む	du gebärst/ 雅 gebierst sie gebärt/ 雅 gebiert	**gebar** [aː]	gebäre	**geboren** [oː]
geben [eː] 与える	du gibst er gibt	**gab** [aː]	gäbe	**gegeben** [eː]
gedeihen 栄える (s)		**gedieh**	gediehe	**gediehen**
gehen 行く (s)		**ging**	ginge	**gegangen**

不規則変化動詞表

不定詞	直説法		接続法 II 基本形	過去分詞
	現在	過去基本形		
gelingen 成功する (s)	es gelingt	**gelang**	gelänge	**gelungen**
gelten 通用する	du giltst er gilt	**galt**	gölte/gälte	**gegolten**
gelesen [e:] 回復する (s)		genas [a:] du genasest	genäse	genesen [e:]
genießen 楽しむ		**genoss** du genossest	genösse	**genossen**
geschehen 起こる (s)	es geschieht	**geschah**	geschähe	**geschehen**
gewinnen 得る		**gewann**	gewönne/ gewänne	**gewonnen**
gießen 注ぐ		**goss** du gossest	gösse	**gegossen**
gleichen 等しい		**glich**	gliche	**geglichen**
gleiten 滑る (s)		glitt	glitte	geglitten
glimmen かすかに光る		glomm/ glimmte	glömme/ glimmte	geglommen/ geglimmt
graben [a:] 掘る	du gräbst er gräbt	**grub** [u:]	grübe	**gegraben** [a:]
greifen つかむ		**griff**	griffe	**gegriffen**
haben [a:] 持っている	du hast er hat	**hatte**	hätte	**gehabt** [a:]
halten 保つ	du hältst er hält	**hielt**	hielte	**gehalten**
hängen[1] 掛かっている		**hing**	hinge	**gehangen**
hauen [たたき]切る		haute/ 雅 hieb	haute/ 雅 hiebe	gehauen/ 稀 gehaut
heben [e:] 持ちあげる		**hob** [o:]/ 古 **hub** [u:]	höbe/ 古 hübe	**gehoben** [o:]
heißen …と呼ばれる		**hieß**	hieße	**geheißen**
helfen 助ける	du hilfst er hilft	**half**	hülfe/ 稀 hälfe	**geholfen**
kennen 知っている		**kannte**	kennte	**gekannt**

1) 自動詞「掛かっている」の不定詞はかつては hangen であった．hängen「掛ける」(他動詞)は規則変化．

不規則変化動詞表

不 定 詞	直　　説　　法		接続法 II 基 本 形	過 去 分 詞
	現　　在	過去基本形		
klimmen よじ登る (s)		klomm/ klimmte	klömme/ klimmte	geklommen/ gekimmt
klingen 鳴る		klang	klänge	geklungen
kneifen つねる		kniff	kniffe	gekniffen
kommen 来る (s)		kam [a:]	käme	gekommen
können …できる	ich kann du kannst er kann	konnte	könnte	gekonnt/ Inf.＋können
kriechen はう (s)		kroch	kröche	gekrochen
laden [a:] 積む	du lädst er lädt	lud [u:]	lüde	geladen [a:]
lassen …させる，放 置する	du lässt er lässt	ließ	ließe	gelassen/ Inf.＋lassen
laufen 走る (s, h)	du läufst er läuft	lief	liefe	gelaufen
leiden 苦しむ		litt	litte	gelitten
leihen 貸す，借りる		lieh	liehe	geliehen
lesen [e:] 読む	du liest er liest	las [a:]	läse	gelesen [e:]
liegen 横たわっている		lag [a:]	läge	gelegen [e:]
erlöschen[1] 消える (s)	du erlischst er erlischt	erlosch	erlösche	erloschen
lügen [y:] 嘘をつく		log [o:]	löge	gelogen [o:]
mahlen (粉を)ひく		mahlte	mahlte	gemahlen
meiden 避ける		mied	miede	gemieden
melken 乳をしぼる	du melkst/ 　　milkst er melkt/milkt	melkte/ molk	melkte/ mölke	gemolken/ gemelkt
messen 計る	du misst er misst	maß [a:]	mäße	gemessen

1) löschen は多く er-, verlöschen などの形で用いられる. löschen「消す」（他動詞）
は規則変化.

不規則変化動詞表

不定詞	直説法 現在	直説法 過去基本形	接続法 II 基本形	過去分詞
misslingen 失敗する (s)	es misslingt	**misslang**	misslänge	**misslungen**
mögen [ø:] 好む	ich mag du magst er mag	**mochte**	möchte	**gemocht/** Inf.+**mögen**
müssen …しなければならない	ich muss du musst er muss	**musste**	müsste	**gemusst/** Inf.+**müssen**
nehmen 取る	du nimmst er nimmt	**nahm**	nähme	**genommen**
nennen 名づける		**nannte**	nennte	**genannt**
pfeifen 笛を吹く		**pfiff**	pfiffe	**gepfiffen**
preisen 称賛する		**pries**	priese	**gepriesen**
quellen 湧き出る (s)	du quillst er quillt	**quoll**	quölle	**gequollen**
raten [a:] 助言する	du rätst er rät	**riet**	riete	**geraten** [a:]
reiben 摩擦する		**rieb**	riebe	**gerieben**
reißen 裂く (h); 裂ける (s)		**riss** du rissest	risse	**gerissen**
reiten 馬で行く (s, h)		**ritt**	ritte	**geritten**
rennen 駆ける (s)		**rannte**	rennte	**gerannt**
riechen におう		**roch**	röche	**gerochen**
ringen 格闘する		**rang**	ränge	**gerungen**
rinnen 流れる (s)		**rann**	ränne/ 稀 rönne	**geronnen**
rufen [u:] 呼ぶ, 叫ぶ		**rief**	riefe	**gerufen** [u:]
salzen 塩味をつける		**salzte**	salzte	**gesalzen/** **gesalzt**
saufen (動物が)飲む	du säufst er säuft	**soff**	söffe	**gesoffen**
saugen 吸う		**sog** [o:]/ **saugte**	söge/ saugte	**gesogen** [o:]/ **gesaugt**

不規則変化動詞表

不定詞	直説法 現在	直説法 過去基本形	接続法 II 基本形	過去分詞
schaffen[1] 創造する		**schuf** [u:]	schüfe	**geschaffen**
schallen 響く，鳴る		schallte/ 稀 scholl	schallte/ 稀 schölle	geschallt/ 稀 geschollen
scheiden 分ける		**schied**	schiede	**geschieden**
scheinen 輝く；…に見える		**schien**	schiene	**geschienen**
scheißen 糞をする		schiss du schissest	schisse	geschissen
schelten 叱る	du schiltst er schilt	**schalt**	schölte	**gescholten**
scheren [e:] 刈る		schor [o:]	schöre	geschoren [o:]
schieben 押す		**schob** [o:]	schöbe	**geschoben** [o:]
schießen 撃つ，射る		**schoss** du schossest	schösse	**geschossen**
schinden 皮をはぐ		schindete/ 稀 schund	schindete/ 稀 schünde	geschunden
schlafen [a:] 眠る	du schläfst er schläft	**schlief**	schliefe	**geschlafen** [a:]
schlagen [a:] 打つ	du schlägst er schlägt	**schlug** [u:]	schlüge	**geschlagen** [a:]
schleichen 忍び歩く (s)		**schlich**	schliche	**geschlichen**
schleifen[2] みがく，とぐ		schliff	schliffe	geschliffen
schleißen 裂く		schliss/ schleißte	schlisse/ schleißte	geschlissen/ geschleißt
schließen 閉じる		**schloss** du schlossest	schlösse	**geschlossen**
schlingen 巻きつける		schlang	schlänge	geschlungen
schmeißen [放り]投げる		schmiss du schmissest	schmisse	geschmissen
schmelzen 溶ける (s)	du schmilzt er schmilzt	**schmolz**	schmölze	**geschmolzen**
schnauben 荒い鼻息をする		schnaubte/ schnob [o:]	schnaubte/ schnöbe	geschnaubt/ geschnoben [o:]

1) 「成し遂げる；働く；運ぶ」などの意味では規則変化.
2) 「引きずる」の意味では規則変化.

不定詞	直説法		接続法II 基本形	過去分詞
	現在	過去基本形		
schneiden 切る		**schnitt**	schnitte	**geschnitten**
erschrecken[1] 驚く (s)	du erschrickst er erschrickt	**erschrak** [a:]	erschräke	**erschrocken**
schreiben 書く		**schrieb**	schriebe	**geschrieben**
schreien 叫ぶ		**schrie**	schriee	**geschrie[e]n**
schreiten 歩む (s)		**schritt**	schritte	**geschritten**
schweigen 黙る		**schwieg**	schwiege	**geschwiegen**
schwellen[2] ふくれる (s)	du schwillst er schwillt	schwoll	schwölle	geschwollen
schwimmen 泳ぐ (s, h)		**schwamm**	schwömme/ 稀schwämme	**geschwommen**
schwinden 消える (s)		schwand	schwände	geschwunden
schwingen 振る		schwang	schwänge	geschwungen
schwören [ø:] 誓う		**schwor** [o:]/ 古 **schwur** [u:]	schwüre/ 稀 schwöre	**geschworen** [o:]
sehen 見る	du siehst er sieht	**sah**	sähe	**gesehen**
sein ある	ich bin du bist er ist wir sind ihr seid sie sind	**war** [a:]	wäre / 接続法I: sei, sei[e]st, sei, seien, seiet, seien	**gewesen** [e:]
senden[3] 送る		**sandte**/ sendete	sendete	**gesandt**/ gesendet
sieden 沸かす, 沸く		sott/ siedete	sötte/ siedete	gesotten/ gesiedet
singen 歌う		**sang**	sänge	**gesungen**
sinken 沈む (s)		**sank**	sänke	**gesunken**
sinnen 思案する		sann	sänne/ 古 sönne	gesonnen

1) schrecken は多く er-, aufschrecken などの形で用いられる. schrecken「驚かす」(他動詞) は規則変化.
2) schwellen「ふくらます」(他動詞) は規則変化.
3) 「放送する, 送信する」の意味では規則変化.

不規則変化動詞表

不定詞	直説法		接続法 II 基本形	過去分詞
	現在	過去基本形		
sitzen 座っている		**saß** [a:]	säße	**gesessen**
sollen …すべきである	ich soll du sollst er soll	**sollte**	sollte	**gesollt/** Inf.+**sollen**
spalten 割る，裂く		spaltete	spaltete	gespalten/ gespaltet
speien 吐く		spie	spiee	gespie[e]n
spinnen 紡ぐ		spann	spönne/ spänne	gesponnen
sprechen 話す	du sprichst er spricht	**sprach** [a:]	spräche	**gesprochen**
sprießen 発芽する (s)		spross du sprossest	sprösse	gesprossen
springen 跳ぶ (s, h)		**sprang**	spränge	**gesprungen**
stechen 刺す	du stichst er sticht	**stach** [a:]	stäche	**gestochen**
stecken[1] ささっている		steckte/ 稀 stak [a:]	steckte/ 稀 stäke	gesteckt
stehen 立っている		**stand**	stünde/ stände	**gestanden**
stehlen 盗む	du stiehlst er stiehlt	**stahl**	stähle/ 稀 stöhle	**gestohlen**
steigen 登る (s)		**stieg**	stiege	**gestiegen**
sterben 死ぬ (s)	du stirbst er stirbt	**starb**	stürbe	**gestorben**
stieben 飛び散る (s, h)		stob [o:]/ stiebte	stöbe/ stiebte	gestoben [o:]/ gestiebt
stinken 悪臭を放つ		stank	stänke	gestunken
stoßen [o:] 突く (h); ぶつかる (s)	du stößt er stößt	**stieß**	stieße	**gestoßen** [o:]
streichen なでる		**strich**	striche	**gestrichen**
streiten 争う		**stritt**	stritte	**gestritten**
tragen [a:] 運ぶ	du trägst er trägt	**trug** [u:]	trüge	**getragen** [a:]

1) 他動詞「差す」は規則変化．自動詞も規則変化することが多い．

不規則変化動詞表

不 定 詞	直 説 法		接続法 II 基 本 形	過去分詞
	現　　在	過去基本形		
treffen 出会う	du triffst er trifft	**traf** [a:]	träfe	**getroffen**
treiben 駆りたてる		**trieb**	triebe	**getrieben**
treten [e:] 踏む (h); 歩む (s)	du trittst er tritt	**trat** [a:]	träte	**getreten** [e:]
triefen したたる		triefte/ 雅 **troff**	triefte/ tröffe	getrieft/ getroffen
trinken 飲む		**trank**	tränke	**getrunken**
trügen [y:] 欺く		**trog** [o:]	tröge	getrogen [o:]
tun [u:] する，行なう		**tat** [a:]	täte	**getan** [a:]
verderben だめになる (s); だめにする (h)	du verdirbst er verdirbt	**verdarb**	verdürbe	**verdorben**
verdrießen 不愉快にする		verdross du verdrossest	verdrösse	verdrossen
vergessen 忘れる	du vergisst er vergisst	**vergaß** [a:]	vergäße	**vergessen**
verlieren 失う		**verlor** [o:]	verlöre	**verloren** [o:]
wachsen 成長する (s)	du wächst er wächst	**wuchs** [u:]	wüchse	**gewachsen**
wägen [ɛ:] 量る		wog [o:]/ wägte	wöge/wägte	gewogen [o:]/ gewägt
waschen 洗う	du wäschst er wäscht	**wusch** [u:]	wüsche	**gewaschen**
weben [e:] 織る		webte [e:]/ wob [o:]	webte/ wöbe	gewebt [e:]/ gewoben [o:]
weichen 譲歩する (s)		wich	wiche	gewichen
weisen 指示する		**wies**	wiese	**gewiesen**
wenden 向きを変える		**wandte**/ wendete	wendete	**gewandt**/ gewendet
werben 募集する	du wirbst er wirbt	**warb**	würbe	**geworben**
werden [e:] …になる (s)	du wirst er wird	**wurde**/ 雅 **ward**	würde	**geworden**/ 受動 **worden**

不規則変化動詞表

不 定 詞	直 説 法		接続法 II 基 本 形	過去分詞
	現　　在	過去基本形		
werfen 投げる	du wirfst er wirft	**warf**	würfe	**geworfen**
wiegen[1] 重さを量る		**wog** [o:]	wöge	**gewogen** [o:]
winden 巻く		wand	wände	gewunden
wissen 知っている	ich weiß du weißt er weiß	**wusste**	wüsste	**gewusst**
wollen 欲する	ich will du willst er will	**wollte**	wollte	**gewollt/ Inf.＋wollen**
verzeihen 罪を許す		**verzieh**	verziehe	**verziehen**
ziehen 引く (h); 移動する (s)		**zog** [o:]	zöge	**gezogen** [o:]
zwingen 強制する		**zwang**	zwänge	**gezwungen**

1) 「揺る，揺り動かす」の意味では規則変化．

索　引

ア
アクセントのある前綴り　22, 29–31
アクセントのない前綴り　21–22, 30, 31
1 格　77

カ
外交的接続法　61
格　64–67, 68, 76, 82, 99, 107–108, 115, 148
格支配
　形容詞の～　118
　前置詞の～　123–126
　動詞の～　77, 78
獲得の 3 格　78, 88
格変化　64, 65, 74–76, 79–81, 82, 87, 90–92, 92–95, 96–98, 98–100, 101–106, 107–109, 116
格の用法　77–78
掛け算　139
過去[形]　22–23, 26, 27, 28, 29, 35, 132, 133
過去完了[形]　24, 25, 28, 35–36, 132
過去基本形　19–21, 22–23, 29, 31, 34, 56
過去人称変化　22–23, 35
過去分詞　19–22, 24–25, 29, 30, 31, 33, 34, 35, 40–42, 43, 47–49, 117, 145–147
仮定[文]　59–60, 133
関係代名詞　92, 93, 98–101
関係副詞　99, 121–122
関係文　→ 関係代名詞, 副文
冠詞　64–67
冠詞の有無　65, 66, 70, 79–81, 151
冠飾句　49
関心の 3 格　78, 88
間接目的語　44
間接話法　58, 62–63
感嘆文　97, 98
幹母音　17–18, 19–20, 54, 56, 57, 75, 112

完了[形]　24–25, 27, 28, 32, 35, 40–42, 43, 86, 132, 145–147
完了不定詞　25, 39, 50
基数　134–136
基数+-er　110, 136
基数+-fach　138
基数+-mal　138
規則変化動詞　→ 弱変化動詞
基礎動詞　21, 22, 30, 50
疑問文　63, 120–121, 136
疑問代名詞　96–98, 100, 133
疑問副詞　121, 133
疑問文　63, 133, 142, 145, 補遺
強変化動詞　17–18, 19–20, 21, 22, 57
金額　142
九九　139
形式上の主語　45, 51, 86–87
敬称 2 人称　15, 83, 87, 90
形容詞　107–118, 119, 122, 128, 143–144
形容詞の強変化　108
形容詞の混合変化　95, 108
形容詞の弱変化　91, 92, 93, 94, 103, 105, 107
決定疑問文　6, 63, 142, 145
月名　66, 68, 141
原級　49, 111–114, 122
現在完了[形]　24–25, 27–28, 35, 132
現在[形]　24, 26–27, 28, 29, 132
現在進行形　26, 47
現在人称変化　15–18, 32–33, 34, 43
現在分詞　47, 117
　zu+～　47
後域　149
行為者　44, 46
合成[語]　30, 31, 70, 73, 89, 109, 143–144
後置
　形容詞の～　110
　前置詞の～　123–124
　定動詞の～　99, 131, 145
国語名　117–118
国籍　66

索　引

国民名　118
国名　65, 80–81
語順(→ 配語)　35, 40, 42, 59, 60, 129
固有名詞　65, 66, 79–81
根　139
混合変化動詞　20, 34, 57

サ

再帰代名詞　32–33, 46, 87–89, 102, 149
再帰的表現　33, 87–89
再帰動詞　32–33
最上級　49, 64, 100, 111–116, 117, 122
3 格　32, 33, 44, 74, 75, 77–78, 79, 86, 87, 88, 89
3 格支配の形容詞　118
3 格支配の前置詞　78, 123–124
3 格・4 格支配の前置詞　125–126
3 格目的語　44, 77–78, 148
三基本形　19–20, 29, 34
使役動詞　40–41
歯音　16
四季名　66, 68
時刻　139–141
指示代名詞　84, 85, 92–96, 100, 102, 105, 151
時称の用法　26–28
時速　139
自動詞　25, 43, 45, 48, 88
自動詞の受動　45
弱変化動詞　19, 21, 31, 56, 57
集合名詞　69
従属の接続詞　63, 129, 131–133
従属文　→ 副文
自由な 3 格　78
主語　6, 43–45, 49, 51, 53, 55, 77, 86, 87, 88, 98, 145, 148–149
述語　6
述語内容語　6, 47, 48, 49, 51, 66, 77, 78, 85, 93, 98, 100, 107, 111, 113, 115, 119, 150
受動完了不定詞　50
受動的表現　46, 48, 52, 88
受動不定詞　36, 50, 146
受動[文]　27, 43–46, 87, 146–147
受動を作れない動詞　46

主文　6, 29, 53, 60, 99, 100, 101, 115, 131, 132, 145–147
乗　139
状況語　6, 36, 62, 77, 78, 113, 116, 119, 149, 150
称号　80
小数　138
状態受動　45–46, 48
除外文　59
職業　66, 96
序数　64, 104, 136–137
序数＋-el　137
序数＋-ens　137
助詞
　完了時称の～　25–26, 35, 43, 86
　時称の～　24
　受動の～　43
　未来の～　24
　話法の～　34–40
所有代名詞　82, 83, 90–92, 93, 101–102, 105, 151
所有の 3 格　78, 88
親称 2 人称　15, 83, 90
人名　65, 79–80
推量　28, 37, 40, 59
数　64–66, 71–73, 76, 82, 85, 93, 96, 98, 99, 100, 107–108, 115
数詞　77, 124, 134–142
数詞＋-en　135
数式　139
性　64–67, 68–71, 76, 82–83, 85, 93, 96, 98, 99, 100, 107–108, 115
姓名　79–80, 83, 96
西暦年数　141
接続詞　129–133
接続法　34, 37, 39, 40, 54, 55, 56–63, **補遺**
絶対的用法
　最上級の～　116, 122
　比較級の～　115
絶対的 4 格　78
接頭辞　143–144
接尾辞　119, 143
前域　148
先行詞　92, 93, 99, 100–101, 121
前置詞　51, 67, 84, 86, 89, 93, 96, 97, 99, 101, 123–128, 143

索引

前置詞＋einander 89
前置詞格支配の形容詞 118, 128
前置詞格支配の動詞 86, 127
前置詞つき目的語 51, 86, 127, 148, 150
全文否定 150
相関的接続詞 130
造語 143-144
相互代名詞 89

タ

帯分数 137
代名詞 82-106, 148
足し算 139
奪離の3格 78
他動詞 25, 32, 43, 48, 88
単一時称 24
単数 68, 71-76, 104-106, 144
男性弱変化名詞 72, 74, 118
単独時称 24
知覚動詞 40-41
地名 65, 70, 80-81, 110, 124
地名＋-er 110
中域 148, 149
抽象名詞 65, 66, 73, 105, 106, 151
直説法 56, 62, 63
直接話法 62, 63
定冠詞 64-65, 67, 91, 92, 93, 94, 98, 103, 105, 107, 111, 116, 135, 148, 151
定形 →定動詞
定動詞 6, 15, 25, 29, 34, 35, 58, 59, 60, 85, 93, 99, 100, 105, 121, 130, 131, 133, 145, 148
伝達価値 147-149
同格 66, 105, 110
等号 139
動作主 44, 46
動作名詞 53
動詞 15-63, 144, 146

ナ

2格 67, 74, 77, 82, 94, 98, 108, 118, 123, 125, 144
2格支配の形容詞 77, 82, 118
2格支配の前置詞 77, 82, 123
2格支配の動詞 77, 82
2格目的語 77
人称 15, 82-84
人称代名詞 82-84, 87, 88, 93, 94, 99-100, 110
認容[文] 39, 40, 59, 60
年月日 141
能動[文] 43-45

ハ

配語 60, 145-150
倍数 138
派生 143-144
反復数 138
比較級 49, 106, 111-116, 117, 122, 149
比較変化 49, 111-116, 122
引き算 139
非現実話法 58, 59-61
日付 141
否定 40, 67, 103, 113, 114, 142, 150-151
否定冠詞 67, 103, 151
否定に影響された接続法 61
非人称動詞 86
非人称表現 86-87
非分離動詞 21-22, 31
百分率 137
付加語 6, 47, 48, 49, 52, 64, 65, 66, 67, 77, 90, 92, 93, 94, 95, 97, 98, 101, 103, 104, 106, 107, 110, 111, 112, 115, 116, 119, 135, 137
不規則変化動詞 19-20, 56, 57
複合時称 24-25, 35
副詞 29, 47, 48, 107, 110, 111, 117, 119-122, 124, 143
副詞的接続詞 133
副詞的2格 77
副詞的4格 67, 78
複数[形] 64-67, 68, 71-73, 75-76, 104-106, 144
副文 6, 29, 35, 42, 49, 53, 59, 61, 62, 63, 84, 85, 99-101, 115, 127, 128, 131-133, 145-148
物質名詞 66, 73, 105, 106, 151
不定冠詞 65-66, 90, 95, 97, 103, 104, 108, 135, 148, 151
不定詞 15, 19-20, 30, 34, 36, 40-42,

索　引

47, 50-53, 69, 88, 146, 147
zu のない～　34, 41, 42
zu 不定詞[句]　30, 36, 40, 42, 50-53, 84, 86, 87, 88, 128, 149
不定詞+-d　47
不定数詞　77, 101-106, 109
不定代名詞　82, 83, 101-106, 109
部分否定　150
不変化詞　119-120, 129
分詞　47-49, 119, 122
分詞句　49
分詞形容詞　49
分詞構文　49
分数　137-138
文成分　43, 45, 49, 53, 145-150
文頭　45, 55, 58, 59, 60, 85, 86, 92, 93, 100, 101, 129, 133, 148
文末　24, 25, 29, 34, 35, 55, 99, 121, 131, 146-147, 150
分離しない前綴り　21, 22, 30, 31
分離する前綴り　22, 29, 30, 31, 150
分離動詞　22, 29-31, 50, 146
分離または非分離動詞　22, 30
平叙文　145
並列の接続詞　129-130
法　56
補足疑問文　6, 63, 145
本動詞　25, 34, 36

マ

前綴り　21-22, 29-31, 50, 146
身分　66
未来完了[形]　24, 25, 28, 35, 42, 146
未来[形]　24, 28, 35, 132, 133, 145-146
未来分詞　47
無冠詞　65, 66-67, 70, 91, 110, 116, 124, 151
無語尾型　71, 75
名詞　64-67, 68-81, 143-144, 148
名詞化
　過去分詞の～　48
　基数の～　135
　形容詞の～　100, 102, 105, 106, 110, 116-118
　現在分詞の～　47

不定詞の～　53, 69
名詞的用法　91, 92, 93, 94, 95, 96, 97, 98, 101, 103, 104, 105, 106, 135
命令[法]　27, 29, 37, 38, 39, 40, 46, 49, 51, 54-55, 56, 63, 145
目的語　6, 43, 51, 53, 86, 87, 127, 148, 150

ヤ

融合形　51, 67, 84, 86, 93, 96, 99, 101, 127
要求話法　54, 58-59
曜日名　66, 68
4格　32-33, 78, 86, 87, 89, 118
4格支配の形容詞　118
4格支配の前置詞　78, 124-125
4格目的語　25, 43, 45, 51, 78, 148

ラ

利害の3格　78
略語　76, 補遺
歴史的現在　26
ローマ数字　138-139

ワ

話法の助動詞　18, 27, 34-42, 45, 57, 61, 63, 146-147
話法の助動詞に準ずる動詞　40-42
割り算　139

欧文索引に関しては，特に文法的に説明の加えられたものに限って掲げた．

A

aber　119, 129, 130
Akkusativ　→ 4格
all-　100, 101, 104-105, 109
allein　129
als　66-67, 113-114, 131, 132, 133, 151
als dass　61, 132
als ob　59, 60, 131
als wenn　60, 131

am —sten 115–116, 122
an … vorbei 127
anerkennen 31
anstatt 52, 123
auch wenn 60
auf dass 132
aufs —ste 116, 122
aussteigen 25

B
-bar 143
be- 21, 31, 144
begegnen 25
beinahe 60
bekommen 48
beratschlagen 31
besser 113, 119
bis 124–125, 131
bis nach 124
bis zu 124
bleiben 25, 46, 48, 51
brauchen 41–42
brauchen＋zu 不定詞 38, 51

C
-chen 70, 71, 143

D
da 120, 132
da[r]-＋前置詞 51, 84, 86, 93, 128
das 64, 85, 94, 95, 98, 100–101
dasjenige 93
dasselbe 94
dass 62, 63, 85, 131–132
　auf dass 132
　ohne dass 132
　statt dass 132
　zu …, als dass 132
Dativ →3 格
denn 113, 114, 119, 129, 132
der 64, 92–95, 98, 100
der ⟨die/das⟩ —ste 115–116
deren 92–93, 98–99
derer 92
derjenige 93
derselbe 94
dessen 92–93, 98–99

desto＋比較級 115
die 64, 92–95, 98
diejenige 93
dies- 94–95
dieselbe 94
dieser 型 90, 94–95, 98–99, 103, 104, 107, 108, 109
doch 119, 129, 142
du 15, 83
dunkel, dunkl- 109, 112
durch 43–44, 124–125
durch- 22, 30
dürfen 34–35, 36–37

E
E 型 71–72, 75
eher 114, 122
einander 89
ein/eine 65
einer/eine/eines 83, 97, 101, 103, 104
einschlafen 25
einsteigen 25
einstudieren 31
emp- 21, 31, 144
[E]N 型 71–72, 75
ent- 21, 31
entgegen 123–124
entlang 124–125
entweder … oder 130
er 82–83, 88
er- 21, 31
ER 型 71–72, 75
erhalten 48
es 45, 51, 82–83, 85–87, 88, 93, 94, 100
es geht＋3 格 87
es gibt＋4 格 87
es handelt sich um＋4 格 87, 127–128
es sei denn 59
etwas 53, 95–96, 100, 101–102, 116

F
fahren 17, 19, 25
fast 60
finden 40, 111
frühstücken 31

fühlen 40–41

G
ganz 110
ge- 19, 21, 31
Ge- 143
Ge—e の形の集合名詞 69
gegen 124–125, 140
gegenüber 123–124
gehen 20, 25
gehören 127
gelingen 25
Genitiv → 2 格
genug 110
genug, um ... zu 不定詞 52
Gott 66

H
haben 18, 20, 23, 24–26, 35, 48, 51, 56, 57, 145–147
haben+geschlossen/geöffnet 補遺
haben + zu 不定詞 51–52
-haft 143
halb 110, 113, 137, 140–141
heißen 40
-heit 69, 72, 143
helfen 41–42
her 120
hin 120
hinter- 22, 30
hoch 109, 113
hoh- 109
hören 40–41, 88

I
-ieren 21
-ig 143
immer+比較級 114
-in 69, 72, 143

J
ja 119–120, 142
je+比較級 115
jed- 101, 104
jedermann 101–102
jemand 101–102
jen- 94–95

Jesus Christus 79

K
kein/keine 67, 151
keiner 83, 101, 103
-keit 69, 72, 143
kommen 19, 25, 48
können 34–35, 37

L
langweilen 31
lassen 17, 40, 41, 55, 88
laufen 17, 25
lehren 41–42
-lein 70, 71, 143–144
lernen 41–42
-lich 143–144
liegen 25, 48
lila 110
-ling 69, 72, 74, 144
-los 143

M
machen 40, 111
man 44, 84, 89, 101–102
manch- 100, 101, 104, 109
-maßen 119
mehr 106, 110, 113–114
mein- 90, 108, 135
mein 型 67, 90, 108, 135
  der meine 91–92
  der meinige 92
meiner 91
minder 113, 114
miss- 21
mit 44, 123–124
mögen 34–35, 40, 63
müssen 34–35, 37–38

N
nach 123–124
nachdem 131–132
nein 142
nennen 78
nicht 150–151
nicht nur ..., sondern auch 130
nicht so ... wie ⟨als⟩ 113

nicht ..., sondern 130
nicht weniger＋原級＋als 114
nichts 100, 101-102, 116
nichts weniger＋原級＋als 114
niemand 101-102
-nis 72, 143
Nominativ → 1 格
nur 37, 121

O
ob 63, 131
ohne dass 132
ohne ... zu 不定詞 52

P
pflegen＋zu 不定詞 51
prima 110

R
ratschlagen 31
rosa 110

S
S 型 71-72, 75
-schaft 69, 72, 143
scheinen＋zu 不定詞 51
schelten 78
schwimmen 25
sehen 17, 40-41, 88
sei es ..., sei es ... 59
sein 18, 20, 23, 24-25, 46, 47, 54, 56, 57, 63, 145
sein＋zu 不定詞 46, 52
selber 88
selbst 88
selbst wenn 60
sich 32-33, 87-89, 149
sie 82-83
Sie 15, 82, 83, 87
sitzen 25, 48
so ... wie 113
solch- 95-96, 102, 108-109
sollen 34-35, 38-39, 57, 63
ss と ß の使い分け 16
sowohl ... als auch〈wie auch〉 113, 130
statt 52, 123

statt dass 132
statt ... zu 不定詞 52
stehen 25, 46, 48
sterben 25

T
taufen 78
teuer, teur- 109, 112
trocken, trockn- 112
trotz 123
-tum 70, 72, 143
tun 16, 47

U
über- 22, 30
um 87, 124-125, 127, 139, 140
um- 22, 30
um ein Haar 60
umso＋比較級 115
um ... zu 不定詞 52
 zu ..., um ... zu 不定詞 52
 genug, um ... zu 不定詞 52
und wenn 60
-ung 69, 72, 143
unter- 22, 30

V
ver- 21, 31, 144
verabschieden 31
vermögen＋zu 不定詞 51
viel- 53, 100, 101, 104, 105-106, 108-109, 110, 113, 114, 116
voll- 21, 30, 31
von 43-44, 79, 81, 123-124
von ... an 127
von ... aus 127
vorbereiten 31

W
was 96, 100, 101, 102, 補遺
was für ein 97
wegen 123
weil 131, 132, 133
-weise 119
welch- 98-99, 103, 108
wenig- 53, 101, 105-106, 108-109, 110, 113, 116

索　引

weniger　106, 110, 113, 114
wenn　59, 60, 131, 133
wenn auch　60
wer　96, 100
wachsen　25
werden　18, 20, 23, 24–25, 35, 43, 54, 56, 57, 145–146
wider-　22, 30
wieder-　22, 30
wie　113, 122, 131, 133
wissen　18, 20, 22, 63
wissen＋zu 不定詞　51

wo　99, 121
wo[r]-＋前置詞　96, 99, 101
wollen　34–35, 39, 55
würde＋不定詞　57, 58, 60, 61

Z

zer-　21, 31
zu　123–124
zu＋形容詞〈副詞〉, um … zu 不定詞　52
zu＋形容詞〈副詞〉, als dass　132
zu＋序数　137

著者略歴
中島悠爾（なかじま　ゆうじ）
　1930年生．1958年東大大学院修士課程修了．
　ドイツ中世文学・語学専攻．
平尾浩三（ひらお　こうぞう）
　1934年生．1957年東大教養学科（ドイツ科）卒．
　ドイツ中世文学・語学専攻．
朝倉　巧（あさくら　たくみ）
　1936年生．1962年東大文学部卒．
　ドイツ語学・ドイツ語教育法専攻．

　　　必携ドイツ文法総まとめ　―改訂版―

　　　　　　　　　　　　2003年6月10日　第1刷発行
　　　　　　　　　　　　2025年4月25日　第26刷発行

　　　　　　　　　　中　島　悠　爾
　　　　著　者 ©　平　尾　浩　三
　　　　　　　　　　朝　倉　　　巧
　　　　発行者　　岩　堀　雅　己
　　　　印刷所　　株式会社三秀舎

　　　　101-0052 東京都千代田区神田小川町3の24
発行所　電話 03-3291-7811（営業部），7821（編集部）　　株式会社白水社
　　　　www.hakusuisha.co.jp
　　　　乱丁・落丁本は送料小社負担にてお取り替えいたします．

振替 00190-5-33228　　　　Printed in Japan　　　　株式会社松岳社

ISBN978-4-560-00492-0

▷本書のスキャン、デジタル化等の無断複製は著作権法上での例外を除き禁じられています。本書を代行業者等の第三者に依頼してスキャンやデジタル化することはたとえ個人や家庭内での利用であっても著作権法上認められていません。